LAROUSSE

Une oasis dans la ville

Didier
Daeninckx

Récit

Édition présentée,
annotée et commentée
par Alexis LIGUAIRE,
docteur ès lettres

Direction de la publication : Carine GIRAC-MARINIER
Direction de la collection : Nicolas CASTELNAU-BAY
Direction éditoriale : Claude NIMMO
Édition : Laurent GIRERD
Direction artistique : Uli MEINDL
Couverture et maquette intérieure : Serge CORTESI,
Sophie RIVOIRE, Uli MEINDL
Dessin de couverture : Alain BOYER
Mise en page : Philippe CAZABET, Marie-Noëlle TILLIETTE
Responsable de fabrication : Marlène DELBEKEN

ISBN : 978-2-03-587384-2

Sommaire

Une oasis dans la ville

Didier Daeninckx

Pour approfondir

L'auteur

Issu d'une famille ouvrière d'origine flamande, Didier Daeninckx est né le 27 avril 1949 à Saint-Denis (en Seine-Saint-Denis).

Des débuts difficiles

Contraint dès l'âge de 17 ans d'abandonner ses études, Didier Daeninckx devient successivement ouvrier imprimeur, animateur culturel et journaliste local. Ce qu'il n'a pu apprendre en classe, il va le découvrir dans les livres et dans la vie.

La lecture est en effet sa passion, avec une prédilection pour les maîtres du roman policier : l'Écossais Conan Doyle (1859-1930), père littéraire du détective Sherlock Holmes, et le Belge Georges Simenon (1903-1989), créateur du célèbre commissaire Maigret. La poésie, notamment celle de Jacques Prévert (1900-1977) et des surréalistes, ainsi que le roman noir américain l'attirent également.

Son activité de journaliste local le conduit par ailleurs à enquêter, à s'intéresser de près à la vie des gens modestes, à user d'un style simple mais efficace, percutant. Au cours d'une période de chômage, il écrit son premier roman policier, *Mort au premier tour*, qu'il mettra plusieurs années à faire éditer et qui, lorsqu'il sortira en 1982, passera presque inaperçu.

Un auteur prolifique et reconnu

Didier Daeninckx ne se décourage pas pour autant. Tout comme lire, écrire est pour lui un besoin, une nécessité presque vitale. Publié dans la prestigieuse collection Série noire des éditions Gallimard, son deuxième roman, *Meurtres pour mémoire* (1984), lui permet d'accéder à la notoriété. Suivra alors une série impressionnante de romans, écrits au rythme d'un par an, parfois deux.

Didier Daeninckx se révèle un auteur extraordinairement fécond, s'intéressant à de multiples formes d'expression artistique. Il ne se contente pas d'être un auteur de polars à succès, il est homme de théâtre, il écrit pour la jeunesse, se tourne vers le cinéma, la bande dessinée, réalise pour France Culture des adaptations radiophoniques de ses propres œuvres.

De nombreuses distinctions viennent récompenser son œuvre et son talent : prix Paul Vaillant-Couturier en 1984, Grand Prix de la littérature policière et Prix du roman noir en 1985, Prix polar jeunes en 1988, prix Goncourt de la nouvelle en 2012.

Un écrivain politiquement engagé

L'ensemble de son œuvre est marqué par une double fidélité : d'une part à la classe ouvrière dont il est issu, et qu'il n'a jamais oubliée ni reniée ; d'autre part à la justice, pour laquelle il combat sans relâche.

Politiquement engagé à gauche, après avoir été membre du Parti communiste, Didier Daeninckx dénonce avec obstination les tenants du négationnisme (doctrine qui nie la réalité du génocide des Juifs par les nazis), ceux qui d'une manière ou d'une autre justifient le colonialisme, prend la défense des sans-papiers. Journaliste sur le site Internet amnistia.net, il dénonce toutes les formes de racisme, la corruption des milieux politiques. Ses prises de position le placent souvent au centre de vives polémiques, dans lesquelles il se trouve tour à tour accusateur et poursuivi pour diffamation dans des procès qu'il n'a jamais perdus. Son œuvre, même policière, se fait ainsi l'écho de toute une histoire tragique. Avec lui, le polar se fait témoin de son temps.

À retenir

Né en 1949, Didier Daeninckx est l'un des maîtres du polar contemporain, reconnu comme tel par de nombreuses distinctions. C'est un écrivain aux multiples facettes et talents : scénariste pour le cinéma, la radio, la bande dessinée, dramaturge, auteur d'essais historiques. Son œuvre est toujours en prise sur les drames de l'Histoire.

L'œuvre

Didier Daeninckx est l'auteur d'une œuvre importante, variée, et toujours en cours d'élaboration.

Des polars originaux

Les polars par lesquels Daeninckx a débuté sa carrière d'écrivain sont peut-être la partie de son œuvre la plus connue du grand public. Personnage récurrent et névrosé, l'inspecteur Cadin mène l'enquête dans plusieurs d'entre eux : *Mort au premier tour* (1982), *Meurtres pour mémoire* (1984), *Le Géant inachevé* (1984), *Lumière noire* (1987). *Le Facteur fatal* (1990) voit son suicide. D'autres inspecteurs lui succèdent, tel Novacek dans *Un château en Bohême* (1994). Citons encore : *Je tue il* (2003), *Dernière Station avant l'autoroute* (2010) ou *Têtes de Maures* (2013).

Ses polars présentent une triple originalité : ils sont en prise sur l'actualité ; ils se déroulent dans des lieux et milieux réalistes, étudiés de près ; ils portent un regard bienveillant sur les opprimés, les exploités ou les déclassés. Des intrigues solidement bâties et un style efficace expliquent leur succès.

Des essais historiques et polémiques

Ces caractéristiques rendent vaine toute distinction tranchée entre, d'un côté, les polars et, de l'autre, ses romans et essais à forte connotation historique et politique. Dédié à son grand-père déserteur en 1917, *Le Der des ders* (1985) dénonce la pratique des fusillés pour l'exemple durant la Première Guerre mondiale. *La mort n'oublie personne* (1988) raconte le parcours d'un jeune résistant condamné pour meurtre après la Seconde Guerre mondiale. Deux livres, *Cannibale* (1998) et *Le Retour d'Ataï* (2002), évoquent l'histoire et la lutte du peuple kanak en Nouvelle-Calédonie.

D'autres sont plus franchement des essais, comme : *Jaurès : non à la guerre* (2009), *Avec le groupe Manouchian : les étrangers dans la Résistance* (2010). D'autres encore sont des prises de position autant morales que politiques, comme celles contre les révisionnistes (*Négationnistes, les chiffonniers de l'histoire*, 1997), contre le colonialisme (*Le Goût de la vérité*, 1997) ou contre l'ultranationalisme russe (*Jirinovski, le Russe qui fait trembler le monde*, 1994).

Une œuvre pour tous les publics

Une autre partie de l'œuvre de Didier Daeninckx relève de la littérature pour la jeunesse : *Le Chat de Tigali* (1988, qui, en 2000, fait l'objet d'une adaptation théâtrale), *La Couleur du noir* (1998) ou encore *La Papillonne de toutes les couleurs* (1998, prix Goncourt du livre de jeunesse), *La Péniche aux enfants* (1999), *Les Trois Secrets d'Alexandra* (2002) et *Le Train des oubliés* (2003).

S'il s'adresse à tous les publics, Didier Daeninckx pratique aussi, avec bonheur, de nombreux genres, dont celui, très délicat, de la nouvelle : *Le Reflet* (1994) et *La Marge* (id.), *L'Espoir en contrebande* (prix Goncourt de la nouvelle 2012). Il écrit des scénarios de bandes dessinées : *Arcadius Cadin* (1990), *La Page cornée* (1993), *Varlot soldat* (1998). Il réalise plusieurs adaptations radiophoniques de ses romans, souvent pour France Culture : *La Place du mort* (1998), *Des Kanaks à Paris* (1998), *Chut plus de bruit* (2005). *Novacek* (en 1994), *À chacun son tour* (en 1997) et *Le premier qui dit non* (id.) ont fait l'objet de séries télévisées.

À retenir

L'œuvre de Didier Daeninckx est variée et importante. Elle se compose de romans policiers, d'essais historiques, de nouvelles, mais aussi de bandes dessinées (scénarios), d'adaptations radiophoniques et cinématographiques. Importante quantitativement, elle l'est aussi et surtout qualitativement. Elle impose Didier Daeninckx comme un écrivain qui compte dans le panorama littéraire de notre époque.

Pourquoi lire l'œuvre ?

Même un passionné de lecture ne peut tout lire : dès lors, pourquoi lire une œuvre plutôt qu'une autre ? Dans le cas d'*Une oasis dans la ville*, les raisons ne manquent pas : elles vont du plaisir à la réflexion.

Parce que c'est une histoire passionnante

S'il fallait une raison, une seule, pour lire *Une oasis dans la ville*, ce serait en effet la suivante : pour le plaisir de lire une histoire passionnante et émouvante. Son titre déjà intrigue. Les oasis sont ordinairement en plein désert. Que vient faire celle-là dans une ville ? Le jeune Skander en est le héros bien malgré lui. Ce qui lui arrive ne peut laisser indifférent. Nous partageons son indignation devant l'injustice, nous craignons à plusieurs reprises pour sa vie, nous redoutons qu'il la gâche en sombrant dans la délinquance, nous espérons pour lui un avenir meilleur. Les deux années qui s'écoulent entre sa fuite précipitée de Tunisie et sa relative insertion en France sont des années de rude apprentissage. Comment ne pas en être ému ?

Parce que c'est une histoire de notre temps

Une oasis dans la ville est en outre une histoire en prise directe sur notre époque. Skander est bien sûr un personnage fictif, mais qui ressemble tant à de nombreux jeunes gens qui, eux, existent vraiment ! Il a les mêmes goûts, les mêmes centres d'intérêt, les mêmes aspirations qu'eux. Il suffit par ailleurs d'énumérer certains thèmes de l'œuvre pour s'apercevoir qu'ils n'ont rien d'imaginaire : les émigrés économiques, les réfugiés politiques, les sans-papiers, les trafics en tous genres, les barres HLM. Autant de sujets qui font fréquemment la une de l'actualité. Heureusement il y a aussi la découverte de l'amour – qui est, elle, de toutes les époques et de toutes les générations –, la joie de chanter, de danser, l'émerveillement des enfants découvrant ce que sont des arbres, des fleurs.

Parce que c'est une histoire porteuse d'espoir

Malgré ses thèmes souvent graves, *Une oasis dans la ville* est un récit optimiste. La précarité y est certes présente, mais l'esprit d'initiative et la solidarité entre les gens confèrent à l'œuvre élan et dynamisme. Entre les protagonistes du récit, la droiture et l'entraide sont de règle. Chacun d'eux ne peut pas faire grand-chose isolément, mais ensemble ils peuvent beaucoup. L'Oasis est une aventure collective. Elle est un monde presque idéal, en tout cas possible, à portée de main. Pour ceux qui viennent d'un pays en crise, elle est un monde en soi. Des gens sans relations ni fortune mais généreux bâtissent un refuge, un lieu d'accueil, où la vie renaît. L'Oasis est un jardin protégé. Là, il n'y a pas de place pour le désespoir ou le racisme, mais seulement pour l'humain.

Parce que c'est une histoire qui fait réfléchir

Aussi, après avoir lu *Une oasis dans la ville*, ne regarde-t-on plus les « quartiers sensibles » – où prédomine la précarité sociale – de la même façon. On les voit à travers les yeux de Skander, de Romaric ou d'Axelle : on prête moins attention à la délinquance qui y règne – là comme ailleurs – qu'à la vitalité, à l'inventivité qui y bouillonnent. Peu d'œuvres prennent pour cadre la banlieue nord de Paris et pour personnages des déracinés et des déshérités.

Une oasis dans la ville les accueille, les fait accéder à un statut littéraire. Et ce statut fonctionne comme un début de reconnaissance et de reconquête de leur dignité. Ce n'est pas le moindre des attraits de l'œuvre.

À retenir

Pour des raisons politiques, un jeune Tunisien est obligé de fuir son pays. Il arrive en France seul, sans relations ni argent. L'Oasis l'accueille. Ce sera la chance de sa vie. Ce roman d'apprentissage passionne, émeut, fait réfléchir, modifie notre regard sur la vie dans les banlieues.

Une oasis dans la ville

Didier Daeninckx

Récit

L'ŒUVRE

Sidi Bouzid[1]

Le froid, la faim, la peur, la fuite... Ce n'est pas comme ça que j'imaginais ma vie. Depuis la nuit des temps, dans ma famille, on se courbe sur la terre, génération après génération. On ramasse les pierres pour élever
5 des murets qui cassent la sécheresse du vent, on trace les rigoles qui amènent l'eau du ciel jusqu'aux champs, on sème, on cultive et on récolte ce que les insectes, les oiseaux nous ont laissé. Pourtant, je n'ai jamais eu l'âme d'un paysan. Moi, ce qui me faisait rêver, c'était les
10 sillons que les vagues creusent dans l'océan. Je voulais être marin. La première fois que j'ai vu la mer, il y a moins d'un an, il faisait noir. J'avais traversé les trois cents kilomètres qui séparent mon village de la capitale, Tunis, à l'arrière d'un camion de fruits, assis au milieu
15 de piles de cageots qui menaçaient de se renverser sur moi dans les virages ou quand les roues bondissaient sur les cailloux, touchaient le fond d'une ornière. Je serrais les dents. Si j'étais resté parmi les miens, je serais mort. Sous ma chemise, dans une enveloppe collée à
20 ma peau par du sparadrap, il y avait l'argent du passage que mes parents avaient collecté[2] autour d'eux, à grand-

1. **Sidi Bouzid :** ville du centre de la Tunisie. En décembre 2010, un chômeur devenu par nécessité marchand de fruits s'y immola par le feu, car la police voulait l'empêcher de vendre ses produits. Ce drame déclencha la révolution qui aboutit à la chute et à l'exil du président dictateur Ben Ali.
2. **Collecté :** réuni (en sollicitant des dons auprès d'autrui).

peine, en s'endettant pour le restant de leurs jours. Le camion avait évité la ville et ses faubourgs quadrillés par la police et des détachements de l'armée, pour prendre 25 la direction du cap Bon[1]. Quand le conducteur avait tiré la bâche, la masse formidable du fort de Kélibia[2], juché au sommet de la colline, s'était détachée sur le ciel sombre. Ylies, un cousin de mon père qui travaillait pour un grossiste[3] du marché de Bir El Kassaâ[4], m'avait 30 tendu la main.

– Je ne peux pas t'emmener plus loin, Skander. Tu es presque arrivé ; il faut simplement que tu marches le long des maisons, que tu dépasses le port… Il y a une petite crique, c'est là qu'ils t'attendent…

35 Il m'avait serré fort contre sa poitrine en me souhaitant bonne chance, puis je l'avais regardé partir vers Tunis où il devait livrer sa cargaison. C'était comme si je voyais s'éloigner à jamais tout ce que j'avais vécu jusque-là. J'avais longé le port où la faible marée ballottait des 40 dizaines de bateaux de pêche, songeant aux événements des derniers jours qui avaient bousculé mon existence. Tout avait commencé trois semaines plus tôt quand Mohammed, un ancien élève du lycée agricole devenu vendeur ambulant de fruits et légumes pour échapper 45 au chômage, s'était immolé par le feu sur la place de Sidi Bouzid, sous les fenêtres de ma maison. Ses cris résonnaient encore dans ma mémoire, et me revenait alors

1. **Cap Bon :** péninsule au nord du golfe de Tunis.
2. **Fort de Kélibia :** installé sur la pointe de la péninsule du cap Bon.
3. **Grossiste :** commerçant, intermédiaire entre le producteur et le détaillant.
4. **Bir El Kassaâ :** principal marché au sud de Tunis.

l'odeur de l'essence et des chairs brûlées. Il n'avait pas supporté qu'une fois de plus, un policier lui interdise de
50 gagner sa vie, malgré ses diplômes inutiles, et confisque toute sa marchandise. Brûlé au dernier degré, recouvert de bandelettes sur son lit de douleur à l'hôpital Ben Arous, Mohammed avait lutté pendant près de trois semaines avant de mourir en martyr. L'annonce de son
55 décès avait précipité tous les habitants de Sidi Bouzid dans la rue, et nous étions des milliers à l'accompagner jusqu'au cimetière de Garaat Bennour en criant « Ton sang n'a pas coulé pour rien », « Nous ferons pleurer ceux qui ont causé ta perte », « À bas la dictature »...
60 Dans l'excitation du moment, je m'étais retrouvé au premier rang avec tous les copains du lycée agricole, face à un cordon de policiers casqués, harnachés[1], protégés par de hauts boucliers, armés de matraques, qui nous tiraient dessus au moyen de balles en caoutchouc, qui
65 nous asphyxiaient avec le gaz de leurs grenades lacrymogènes[2]. Nous avions réussi à les tenir à distance un moment en leur jetant des pierres et tout ce qui nous tombait sous la main, mais l'arrivée de renforts avait fait basculer l'affrontement en leur faveur. Trop sûr
70 de lui, l'un des Robocop[3] s'était retrouvé isolé de son détachement, cerné par les manifestants. Il tentait de se

1. **Harnachés :** lourdement équipés.
2. **Grenades lacrymogènes :** grenades dégageant un gaz irritant les yeux et les voies respiratoires et destinées à neutraliser des individus, généralement des manifestants.
3. **Robocop :** nom du héros, mi-homme mi-robot, d'un film américain sorti en 1987.

dégager en faisant de grands moulinets avec sa trique[1], tout en essayant de sa main gauche de sortir son arme de service de l'étui de cuir passé à sa ceinture. Lorsque
75 l'acier du pistolet a accroché un éclat de soleil, je me suis baissé pour ramasser une pierre ronde, grosse comme une pomme. J'ai fait un pas en avant, j'ai ajusté mon tir en respirant très fort, puis mon bras a décrit un arc de cercle parfait. Le projectile a frappé le haut de la visière,
80 à hauteur du front. Un cri étouffé est sorti de la machine humaine qui s'est immobilisée quelques secondes avant de s'effondrer. Plusieurs policiers, témoins de la scène, se sont précipités pour venir en aide à leur collègue tandis que d'autres tentaient de m'encercler. Je me suis
85 mis à courir. Je ne sais où j'ai trouvé assez d'énergie pour leur échapper. J'ai remonté l'avenue de la Poste à fond de train[2], je suis passé devant ma maison, j'ai sauté par-dessus une clôture, traversé les jardins de la mosquée, bifurqué vers le kiosque à journaux et la station
90 Shell… C'est en m'accroupissant derrière un muret, pour reprendre mon souffle, le cœur au bord des lèvres, que je me suis aperçu que j'avais semé mes poursuivants. J'ai attendu que le soleil disparaisse pour m'approcher de chez moi. J'ai cogné au carreau de la chambre de mes
95 parents. Anissa, ma sœur aînée, a entrebâillé la fenêtre. Quand elle m'a reconnu, elle m'a dit que la police était venue, qu'on me recherchait.

– Ils disent que tu as blessé quelqu'un, qu'il est à l'hôpital…

---

1. **Trique :** matraque.
2. **À fond de train :** à toute vitesse.

100 Elle m'a donné de quoi manger, puis je suis allé me cacher dans un roncier[1] pendant deux jours, le temps pour ma famille d'organiser ma fuite vers le port de Kélibia.

La première chose que m'avait demandée le passeur[2], lorsque j'étais arrivé à l'entrée de la crique, c'est de lui 105 montrer mon argent. Je m'étais retourné afin de déboutonner ma chemise, décoller le sparadrap de ma peau en grimaçant pour libérer l'enveloppe. J'avais ensuite séparé deux mille dinars[3] de la liasse, le prix convenu pour la traversée, et les lui avais remis. Les billets qu'il recomptait, 110 c'était plus d'argent que je n'en avais jamais vu, mais ils n'avaient même pas été accueillis par un « merci ».

– On ne part pas avant une heure. Tu peux aller te reposer sous les arbres, là-bas, je te préviendrai.

Malgré la fatigue du voyage, je n'avais pas fermé l'œil, 115 de peur que le passeur ne parte sans moi après avoir empoché mon argent. Le vent s'était levé, chargé des pluies froides de janvier quand on nous avait appelés. Nous étions une trentaine, une majorité d'hommes mais aussi des femmes et quelques enfants, à prendre place 120 sur la longue embarcation dont le moteur tournait au ralenti en dégageant une odeur écœurante de carburant mal brûlé. L'aide du capitaine, un colosse borgne au crâne lisse, avait tiré une vieille voile rapiécée au-dessus de nos

1. **Roncier :** buisson de ronces.
2. **Passeur :** celui qui organise matériellement et clandestinement, contre rémunération, le « passage » vers un autre pays.
3. **Dinar :** unité monétaire de Tunisie (deux mille dinars représentent une somme importante pour des Tunisiens pauvres comme la famille de Skander).

têtes, qu'il avait arrimée[1] au mât pour nous protéger des bourrasques. On avait quitté le rivage tunisien pour nous enfoncer dans la nuit noire de l'inconnu un peu avant minuit. La longue barque prenait les vagues de face, se cabrait[2] sur les crêtes avant de retomber lourdement dans les creux, provoquant une sensation d'apesanteur qui nous avait tous mis le cœur à l'envers. Seule consolation, les trombes d'eau salée lavaient aussitôt ce que nos estomacs ne parvenaient plus à retenir. J'étais terrifié, incapable de chasser ces images de corps échoués cent fois vus à la télé, ces silhouettes recouvertes de couvertures étendues sur les plages d'îles italiennes[3] au terme d'un voyage sans espoir. Je fermais les yeux, comme on serre les poings, pour ne pas m'imaginer couché auprès d'eux, la tête enfouie dans le sable. Après un combat de plusieurs heures dans les ténèbres, la tempête s'était calmée au petit matin, comme pour laisser le soleil se lever en majesté. Nous avions navigué toute la journée sur une mer calme, avec comme seule menace les carabiniers[4] italiens dont les vedettes rapides patrouillaient au large. Le téléphone portable du capitaine captait de nouveau les signaux des relais[5], et il se dirigeait avec sûreté dans l'immensité que la nuit d'hiver enveloppait déjà. J'avais réussi à manger quelques dattes, à boire une gorgée d'eau trouble au goulot d'un bidon, quand les côtes siciliennes s'étaient dessinées à l'horizon.

1. **Arrimée :** fixée, accrochée.
2. **Se cabrait :** redressait sa proue.
3. **Îles italiennes :** allusion notamment à l'île de Lampedusa (entre Malte et la Tunisie).
4. **Carabiniers :** gendarmes.
5. **Relais :** dispositifs téléphoniques destinés à retransmettre les signaux.

Nous avions attendu qu'il fasse totalement noir pour
150 nous approcher du rivage et débarquer sur une plage, à quelques centaines de mètres des premières lumières des faubourgs de Marsala[1]. À partir de ce moment, cela avait été chacun pour soi. On m'avait prévenu que les lignes de bus privées étaient beaucoup moins surveillées que les
155 trains, alors j'ai marché jusqu'au centre de la ville où j'ai acheté un billet d'autocar pour Messine[2], à l'autre bout de l'île. Je me suis faufilé au milieu de la cohue, dans le ferry qui traversait le détroit, et quatre jours seulement après avoir fui la police du dictateur[3], je mettais le pied
160 sur le continent européen. Il m'en avait fallu cinq fois plus pour remonter l'interminable péninsule[4] en forme de botte, depuis Reggio di Calabria[5] jusqu'à la frontière française, en passant par Naples puis Rome. Le plus difficile m'attendait au pied des Alpes que la neige, dont je
165 ne connaissais que des images, recouvrait. Il ne me restait pratiquement rien de l'argent confié par mes parents, et je calmais ma faim en avalant du pain dans lequel je répandais le contenu d'une boîte de sardines à l'huile.

---

1. **Marsala :** ville de la côte occidentale de Sicile.
2. **Messine :** ville sur le détroit du même nom, séparant la Sicile de la botte de l'Italie.
3. **Dictateur :** l'ex-président tunisien déchu Ben Ali.
4. **Péninsule :** territoire qu'entoure la mer de tous côtés, sauf un. Il s'agit ici de l'Italie.
5. **Reggio di Calabria :** ville italienne à l'extrémité occidentale de l'Italie.

Courvilliers[1]

Un mois après mon départ de Sidi Bouzid, j'étais enfin parvenu au terme de mon voyage, aux portes de Paris. J'avais appris l'adresse du rendez-vous par cœur, le *Black and White*, au numéro un de la rue Chapon, à Courvilliers. C'était là que m'attendait Mourad, un cousin de ma mère parti un an plus tôt sur les chemins de l'exil. Le *Black and White* était le nom d'un ancien café, une vieille bâtisse de deux étages posée à l'angle de deux rues grises. Le seul problème c'est que lorsque j'étais arrivé, les fenêtres, tout comme la porte, étaient murées par des parpaings[2]. Un panneau attaché à la devanture par du fil de fer annonçait la transformation prochaine des lieux en bureaux, en logements. J'étais entré dans une sorte de cour de ferme en passant sous un porche, sur le côté, mais là encore, les issues avaient été aveuglées. Tout ce périple pour rien… J'avais senti les larmes prêtes à couler. Un homme qui poussait un caddy et y déposait tout ce qu'il trouvait d'intéressant dans les poubelles m'avait abordé :

– Il n'y a plus personne depuis une semaine. Ils se sont fait virer.

– Vous savez où je peux les trouver ?

Il s'était retourné vers le carrefour, m'avait montré le feu tricolore sur la droite.

1. **Courvilliers :** ville imaginaire de la banlieue parisienne, contraction d'Aubervilliers et La Courneuve.
2. **Parpaings :** blocs de plâtre, de ciment et de béton.

– Un peu plus loin après le tabac, dans l'ancien garage
25 Citroën...

Une dizaine de réfugiés, des Tunisiens pour la plupart, occupaient les ateliers déserts promis à la démolition qu'ils avaient aménagés en dortoir. Ils étaient rassemblés, enveloppés par la fumée âcre[1], autour d'un brasero[2] où
30 brûlaient des planches. Ils m'avaient observé d'un air soupçonneux quand je m'étais avancé, et c'est seulement lorsque j'avais prononcé le nom de mon cousin que j'avais senti un peu de chaleur. Celui qui semblait diriger le groupe s'était approché de moi.

35 – Mourad n'a pas été assez rapide au moment de l'expulsion. Il s'est fait prendre... Ils l'ont enfermé au Mesnil-Amelot[3], près de l'aéroport, avant de l'expulser vers Tunis.

J'étais désemparé. Par amitié pour lui, ils avaient accepté que je passe deux jours dans leur refuge, un délai que je
40 devais mettre à profit pour trouver un nouveau point de chute. Avant de m'endormir sur un matelas de récupération, la première nuit, j'avais fait le compte de ma fortune : treize euros. Je m'étais consolé en me disant que c'était un chiffre qui portait bonheur. Levé de bonne heure, je m'étais
45 mis à sillonner la ville. Courvilliers était une ancienne cité ouvrière où les usines laissaient la place à des studios de cinéma, des résidences pour étudiants, des immeubles que les publicités désignaient comme « programmes à haute qualité environnementale », dont le prix d'un seul

---

1. **Âcre :** qui irrite la gorge.
2. **Brasero :** bassin de métal, monté sur trépied, rempli de charbons ardents, souvent destiné au chauffage de plein air.
3. **Le Mesnil-Amelot :** ville de Seine-et-Marne, au nord-est de l'aéroport de Roissy.

50 mètre carré m'aurait permis de vivre toute une année. Des dizaines de flèches de grues décrivaient des arcs de cercle au-dessus de vieilles maisons qui tombaient sous la pioche des démolisseurs. On m'avait dit qu'il était possible de trouver du travail en déchargeant les camions, à la 55 halle de la mairie, en faisant le tour des chantiers pour se faire embaucher comme manœuvre à la journée, en allant faire le pied de grue à la porte des magasins de matériel de construction, ou en tentant sa chance au marché aux esclaves dans le quartier des grossistes chinois, pas très 60 loin du ruban du périphérique[1]. Peut-être ne savais-je pas m'y prendre, mais personne n'avait voulu de moi, mes bras n'avaient pas trouvé preneur ni le premier ni le deuxième jour. À force de dériver dans les rues, mes pas m'avaient conduit vers un carrefour où flottait une 65 odeur de maïs et de marrons grillés. Il fallait jouer des coudes pour progresser au milieu d'une foule compacte qui ne cessait de grossir au rythme de l'arrivée des métros dont les passagers surgissaient d'une série d'escaliers mécaniques creusés dans les trottoirs. Ici, chacun tenait 70 boutique. On vendait de tout sous le manteau, des roses, des avocats[2], des paquets de Marlboro[3], des bijoux, des montres, des téléphones portables, des films piratés, des paires de chaussettes, des bonnets tricotés… Un signe, un ordre venu d'on ne sait où, et tout disparaissait comme 75 par enchantement, le temps que des policiers, submergés par la multitude, s'éloignent bredouilles[4]. J'aurais

1. **Ruban du périphérique :** le boulevard périphérique ceinturant Paris.
2. **Avocats :** fruits de l'avocatier, au goût rappelant celui de l'artichaut.
3. **Marlboro :** marque de cigarettes américaines.
4. **Bredouilles :** sans avoir rien trouvé ni confisqué.

bien voulu disparaître, moi aussi. Je me contentais de me faire tout petit quand leurs regards planaient sur la foule. Contrairement à beaucoup de mes amis, je n'avais
80 jamais rêvé de quitter mon pays, c'était la course des événements qui m'avait jeté sur les routes, mais quand ils me parlaient de Paris, de la France, cela ne ressemblait pas à ce que j'avais sous les yeux. Je venais de dépenser mes dernières pièces dans un café surchauffé, devant
85 une consommation que j'avais réussi à faire durer près de deux heures. En sortant, sans plus savoir où aller, le vent cinglant m'avait saisi. J'avais commencé à ausculter[1] le quartier, à la recherche d'un endroit abrité où passer la nuit, quand un type, la tête dissimulée sous une capuche,
90 m'avait abordé.

– Tu cherches où dormir, c'est ça ?

J'étais trop frigorifié, trop fatigué, trop démoralisé pour jouer au plus malin.

– Oui, je n'en peux plus… J'avais rendez-vous avec un
95 parent, sauf qu'on s'est loupés[2]…

– Il n'a pas de téléphone ?

– Non, et moi non plus…

– Suis-moi, j'ai peut-être quelque chose à te proposer…

Il avait traversé l'avenue, longé la façade d'un cinéma
100 qui paraissait fermé depuis des années, avant de bifurquer dans une cour encombrée de voitures accidentées sur lesquelles des silhouettes étaient penchées. Trois bâtiments identiques, d'une dizaine de niveaux[3], occupaient les côtés.

---

1. **Ausculter :** étudier, examiner attentivement.
2. **Loupés :** manqués.
3. **Niveaux :** étages.

J'étais entré, derrière lui, dans celui situé à notre gauche.
105 Un jeune garçon assis sur les marches, qui semblait garder l'accès aux étages, s'était levé pour ouvrir la porte du sous-sol et nous éclairer avec sa torche. Des marches de pierre, une forte odeur de poussière humide et de renfermé... Un long corridor en terre battue séparait deux rangées
110 de caves fermées par des portes à claire-voie[1] derrière lesquelles on devinait la présence de locataires. Il en avait poussé une. J'avais découvert une pièce de deux mètres de longueur sur un mètre cinquante de largeur, équipée d'un matelas, d'une couverture, aérée par un soupirail
115 de la taille d'une boîte à chaussures, d'une bouteille en plastique vide et d'un journal.

– C'est dix euros la nuit, cinquante la semaine. Payables d'avance...

J'avais tendu mes paumes vers lui.

120 – Je n'ai plus rien... Seulement ces vêtements usés jusqu'à la corde que je porte sur moi... Je vais trouver du travail demain, je ferai n'importe quoi... Laissez-moi me reposer, je vous en supplie...

Il avait rejeté sa capuche en arrière, découvrant son
125 visage barré par une fine moustache qu'accompagnait un triangle de poils noirs au creux du menton. Une boucle brillait à son oreille, ainsi qu'un trait d'argent à son sourcil droit. Il avait incliné la tête en souriant.

– Le travail, ce n'est pas ça qui manque... Je veux bien te
130 rendre service, le problème, c'est qu'on ne se connaît pas... Il me faut des garanties. Qu'est-ce que tu me proposes ?

1. **Portes à claire-voie :** portes constituées de planches espacées les unes des autres et laissant passer la lumière.

J'avais dégagé mon poignet, détaché la montre offerte l'année précédente, pour mes vingt ans.

– Je ne sais pas ce qu'elle vaut, mais j'y tiens beaucoup. C'est tout ce qui me reste de mes parents...

Il l'avait soupesée, examinée et mise dans la poche de son jean.

– Je te la rendrai quand tu partiras. On ferme tout dans une heure. Si tu as envie de pisser, tu te sers de la bouteille, si c'est plus consistant tu as des journaux... Bonne nuit.

Au cours des cinq jours suivants, je n'avais pratiquement essuyé que des refus, sauf dans un restaurant grec tenu par des Turcs où j'avais proposé mes services quelques minutes après que le plongeur se soit[1] fait jeter dehors par le patron. Quatre heures penché au-dessus d'un évier à nettoyer des assiettes, des verres, des couverts, à récurer les casseroles en échange d'un repas et d'un billet de vingt euros que j'avais remis à Frédéric, le moustachu à la boucle d'oreille qui m'avait fait crédit, pour la cave... Il avait empoché l'argent de la plonge[2] sans un mot, avant de poser la main sur mon épaule alors que je m'éloignais sous une pluie battante. Nous nous étions abrités sous les caissons[3] vides où on exposait autrefois les affiches des films. Le ton s'était fait plus ferme, presque menaçant.

– Hé, Skander... Je veux bien être gentil, mais les services, ce n'est pas à sens unique. Je ne suis pas spécialisé dans les bonnes œuvres ! Il faudrait que de ton côté tu

1. **Soit :** construction courante, volontaire de la part de l'auteur (dans le registre de la langue soutenue, la locution conjonctive « après que » est suivie de l'indicatif et non du subjonctif).

2. **Plonge :** lavage de la vaisselle.

3. **Caissons :** compartiments (en retrait dans un mur).

fasses aussi des efforts... Je ne suis pas en manque. Il y en a d'autres, dans la rue, qui sont prêts à prendre ta place...

160 L'averse glaciale redoublait d'intensité, dispersant tous les vendeurs à la sauvette[1], plaquant les passants contre les murs, faisant éclore les parapluies.

– Je te jure que je fais tout ce que je peux... Pour la plonge, c'était seulement aujourd'hui. Il va faire venir 165 quelqu'un de sa famille. Je m'accroche...

– Je sais bien, mais je suis bien obligé de constater que les résultats ne sont pas au rendez-vous... Il y aurait bien une solution...

Je sais aujourd'hui que c'est à ce moment-là que j'aurais 170 dû dire non, mais il s'était passé dans ma vie trop de choses en trop peu de temps... Tous mes repères s'étaient évanouis. Je ne comprenais plus qui j'étais, je ne réalisais pas dans quel monde j'avais été projeté, j'étais incapable d'imaginer l'avenir au-delà de l'heure suivante... Ce n'était 175 plus moi qui décidais mais l'enchaînement des événements. Il m'avait brusqué, voyant que je ne répondais pas.

– Tu m'écoutes ou quoi ! Si tu veux bosser pour nous, c'est le moment. Allez arrive, on y va...

1. **À la sauvette :** vendant en fraude sur la voie publique.

Le tunnel

Il avait relevé sa capuche sur son crâne rasé, planté les mains dans ses poches, et s'était élancé pour traverser l'avenue, à grandes enjambées, entre les voitures aux carrosseries inondées, s'attirant les coups de klaxon des
5 conducteurs excédés. Je l'avais suivi, pataugeant dans les flaques d'eau à moitié gelées, les pieds glacés dans mes chaussures imbibées, le froid humide plaqué sur les épaules. On avait zigzagué dans des ruelles, longé des successions de pavillons, d'ateliers d'artisans, de
10 petites usines délabrées, avant de déboucher dans un quartier hérissé de hautes tours, l'horizon barré par un enchevêtrement de constructions avec le viaduc du périphérique et son incessante rumeur dans le lointain. Les grilles d'une école maternelle se dressaient le long
15 d'une place recouverte de dalles au milieu de laquelle poussaient des arbres dépouillés de leurs feuilles. Nous l'avions coupée en diagonale pour arriver devant une sorte de tunnel creusé sous les tours, un passage obscur jalonné de rideaux de fer baissés qu'éclairaient, de loin
20 en loin, les lumières de quelques boutiques encore en activité. Le ronflement d'une chaufferie faisait vibrer l'air confiné. Le passage débouchait sur une rue grise et une descente de parking dont l'entrée était murée au moyen de plaques de tôle. Nous étions restés là,
25 immobiles, pendant plusieurs minutes. Des silhouettes en provenance d'un boulevard situé sur la gauche s'approchaient, hésitantes, pour venir au contact d'autres

silhouettes couleur muraille qu'on distinguait à peine tellement elles se confondaient avec le béton sur lequel
30 elles s'appuyaient. Deux ou trois mots étaient échangés, puis au terme d'un ballet[1] bien réglé, les premières silhouettes disparaissaient par là où elles étaient venues tandis que les autres se plaquaient à nouveau contre les façades. Frédéric s'était tourné vers moi.

35 – Tu sais siffler fort ?

– Oui, bien sûr...

– Impeccable... Tout ce que tu as à faire, c'est de rester là, derrière ce pilier, et d'ouvrir les yeux. C'est pas compliqué. Tous les accros[2] du nord de Paris arrivent
40 du métro pour faire leur marché dans le secteur. De l'herbe[3], des cailloux[4], un peu de poudre[5]... D'ici, tu as le temps de comprendre ce que les gens qui empruntent le passage ont dans la tête. Il faut observer leur démarche, la manière dont ils se parlent... Au moindre doute, tu
45 envoies le signal, deux coups de sifflet rapprochés assez longs, pour qu'ils se tiennent sur leurs gardes. Si tu repères une attaque directe, trois coups de sifflet très courts, qu'ils aient le temps, en face, de planquer la marchandise avant que les flics ne leur tombent dessus... Deux coups longs,
50 alerte, trois coups brefs, sauve-qui-peut... Tu as saisi ?

J'avais surtout compris que je mettais le doigt dans un drôle d'engrenage et que la main risquait rapidement d'y

---

1. **Ballet :** ici, va-et-vient intense.
2. **Accros :** abréviation pour « accrochés » et désignant ici ceux qui sont dépendants de la drogue.
3. **Herbe :** drogue telle que le cannabis.
4. **Cailloux :** galettes de crack (un stupéfiant), en argot.
5. **Poudre :** drogue telle que la cocaïne ou l'héroïne.

passer. Je m'étais rassuré en me disant que je ne touchais à rien, que je restais à distance, que mon rôle consistait
55 seulement à siffler, et qu'on ne met pas des gens en prison pour avoir fait de la musique avec du vent... J'avais fait le guet jusqu'à deux heures du matin, dans les courants d'air, les mains coincées sous les aisselles, tapant des pieds pour me réchauffer, sans que j'aie besoin de me manifester.
60 Quand je m'étais présenté à la porte des caves, près de la bouche du métro, Frédéric m'attendait. Il m'avait tendu mon billet de vingt euros, celui qui avait payé mes heures de plonge, au restaurant turc.

– Tiens, j'ai effacé tes dettes, c'est pour toi... Demain,
65 tu en auras cinquante ; après-demain autant et ainsi de suite... Si j'entends parler d'un autre petit boulot qui pourrait te convenir, je te fais signe. D'accord ?

J'étais ressorti de la cour pour aller boire un thé brûlant dans un bar pakistanais. Il était installé en face du
70 cinéma désaffecté, au rez-de-chaussée d'un pavillon qui se dressait seul au milieu d'une rue dont tous les autres immeubles avaient été abattus. Là aussi, on annonçait la construction prochaine d'une résidence avec jardin paysagé[1]. La salle était pleine d'Hindous, certains au crâne
75 recouvert d'un épais turban, qui se passionnaient pour un incompréhensible match de cricket[2] que retransmettait un écran plat posé au-dessus du bar. Grâce à l'argent gagné pendant mes veilles dans le passage, au cours des quinze jours qui avaient suivi, j'avais pu m'acheter un manteau,

1. **Jardin paysagé :** jardin arrangé de manière à créer un effet de « paysage ».
2. **Cricket :** sport d'équipe britannique se pratiquant avec des battes de bois et une balle.

80 un bonnet, des gants et des chaussures montantes à la fripe[1] qui se tenait deux fois par semaine sous le viaduc du périphérique. Depuis une boutique Internet, j'avais réussi à joindre la famille, à plusieurs reprises. Ils n'avaient plus peur de parler bien qu'ils sachent qu'ils étaient écoutés, 85 espionnés. Les manifestations qui agitaient Sidi Bouzid presque chaque jour s'étaient propagées à tout le pays. Juste après mon départ, les policiers étaient venus à la maison pour m'arrêter. Ils avaient tout retourné, sauf que leur menace de s'en prendre à mon père, à mes frères, 90 n'avaient pas été suivie d'effets. Le dictateur montrait encore les crocs, mais le peuple avait compris qu'il portait un dentier. Quand on m'avait posé des questions sur ma situation, je m'étais forcé à mentir dans le seul but de les rassurer. Ils s'inquiétaient pour moi, sachant que 95 le cousin Mourad n'avait pu m'aider, puisqu'il avait été expulsé. J'avais empli mes poumons pour me donner du courage, ravalé ma salive :

– Tout va bien même s'il fait un peu froid... J'ai trouvé du travail dans un restaurant. Pas déclaré, mais du travail 100 quand même... Et un endroit pour dormir. Ne vous faites surtout pas de souci pour moi, et prenez bien soin de vous...

Ce n'est qu'au début de la semaine suivante, vers midi, que Frédéric m'avait présenté son chef, Nordine, celui 105 qui chapeautait tout le réseau, aussi bien les dealers[2], les squatters[3], que d'autres activités comme le démontage

1. **Fripe :** marché sauvage vendant des vêtements d'occasion.
2. **Dealers :** revendeurs de drogue.
3. **Squatters :** occupants illégaux d'une habitation vide.

de scooters ou les vols à l'arraché de sacs, de téléphones portables. Il devait avoir vingt-cinq ans, jean et blouson de moto, plus enveloppé[1] que costaud, et portait sur ses
110 épaules de nounours une tête d'adolescent barrée d'un large sourire. Un type auquel on achète une mobylette d'occasion sans même lui demander de faire un tour d'essai. Sa poignée de main était directe, franche.

– Fred m'a parlé de toi, il paraît que tu te débrouilles
115 plutôt pas mal… Tu as mangé ?

– Non, je me suis réveillé il y a une heure, j'ai juste pris un café…

Nous nous étions retrouvés plus haut sur l'avenue, tous les trois, au fond d'un kébab[2] libanais devant des
120 brochettes de poulet accompagnées de falafels[3], de houmous[4], de crème d'aubergines, de galettes de pain. J'avais l'impression, en fermant les yeux, que ma mère était aux fourneaux. Nordine avait fait glisser un carré de viande épicée le long de la pique de bois, à l'aide de ses dents.

125 – On t'a bien observé depuis que tu es arrivé. Les gars sérieux sont beaucoup plus rares que ce qu'on pense… Un sur dix !

Fred avait fait sauter la languette de sa canette de bière.

– Maximum…

130 Le chef avait poursuivi, comme s'il n'avait pas entendu.

---

1. **Enveloppé :** un peu corpulent.
2. **Kébab :** restaurant dans lequel on mange de la viande coupée en morceaux et rôtie à la broche.
3. **Falafels :** spécialité culinaire orientale faite de boulettes de pois chiches ou de fèves.
4. **Houmous :** spécialité culinaire orientale faite de purée de pois chiches à la crème de sésame.

– C'est pourtant pas très compliqué : on leur demande de rester en poste, et ils s'absentent pour un oui, pour un non, sans même penser qu'ils mettent leurs potes à découvert. Le pire, c'est que ça ne leur traverse pas le
135 cerveau ! Quand on prend un travail, on respecte les règles du jeu. Toi, t'es nickel[1], rien à te reprocher...

Puis il s'était mis à vider le contenu de son assiette, sans plus prononcer le moindre mot, n'ouvrant la bouche que pour mâcher. C'est en buvant le café qu'il s'était penché
140 au-dessus de la table pour me parler, la voix presque étouffée :

– À partir de ce soir, tu arrêtes le boulot près de la dalle... C'est du gâchis. J'ai bien mieux pour toi. Fred t'expliquera, mais tu sais maintenant que ça vient de
145 moi. Capito[2] ?

Il s'était levé avec la note, pour aller payer au bar. Le patron lui avait passé un casque de moto noir équipé d'une visière de plastique fumé. Une minute plus tard, la boule sombre quittait le trottoir, juchée au-dessus d'un gros
150 scooter TMax de même couleur, aussi neuf que s'il sortait de l'usine. Sur le chemin du retour, avant de me donner des détails sur ce qu'on attendait de moi, Fred avait posé sa main sur mon épaule pour me dire sur le ton de la confidence :

– Tu me laisses deux ou trois jours, le temps que je
155 règle le problème... Je dois libérer une piaule[3], dans les étages. Une chambre, des chiottes sur le palier, un coin cuisine. Je te préviendrai quand tu pourras t'y installer.

---

1. **T'es nickel :** expression de la langue familière signifiant « T'es parfait ».
2. **Capito :** « compris », en italien.
3. **Piaule :** chambre, en argot.

On s'était arrêtés à hauteur de la bouche du métro, dans l'odeur des marrons grillés que vendait une vieille
160 femme habillée d'une robe multicolore. Plus loin, devant la vitrine d'un soldeur[1], un groupe chilien jouait *El Condor pasa*[2], à la flûte et au tambour.

– On est sur un gros coup. Il faudrait que tu te tiennes prêt demain aux alentours de sept heures du soir. Couvre-
165 toi bien et change de pompes[3]. Prends du souple, Puma, Converse[4]... Choisis une paire qui te plaît au magasin d'en face, je vais leur passer un coup de fil pour leur dire de la mettre sur mon compte.

---

1. **Soldeur :** vendeur qui fait le commerce d'articles en solde.
2. ***El Condor pasa* :** chanson péruvienne reprise par de nombreux artistes à travers le monde.
3. **Pompes :** chaussures, en argot.
4. **Puma, Converse :** marques de chaussures.

Nike Air Max[1]

Au cours de la nuit, les hypothèses les plus folles s'étaient bousculées dans ma tête. Je me voyais en braqueur de banque, en preneur d'otages, en assassin. Si je m'endormais un instant, je me réveillais en sursaut, le front moite, la main crispée sur la pierre que j'avais lancée vers le policier pendant l'enterrement de Mohammed, à Sidi Bouzid... Je ne savais que faire. Ma vie entière, l'éducation que m'avait transmise mes parents, les conseils de mes maîtres, les réflexions que m'avaient inspirées mes lectures, les paroles de l'imam[2], tout se liguait[3] pour me mettre en garde, m'interdire de répondre aux sollicitations de Nordine et Frédéric. Un combat perdu d'avance. Le lendemain, le soleil s'était enfin montré. J'avais traversé la ville, sans but, des heures durant, incapable de prendre la moindre décision, toujours ballotté entre des sentiments contradictoires. J'avais compris que les dés étaient jetés quand j'avais poussé la porte du magasin de sport et que j'en étais ressorti avec des Nike Air Max aux pieds, affichées à cent vingt euros la paire. Je marchais sur un petit nuage[4]. À l'heure dite, je faisais les cent pas devant

1. **Nike Air Max :** marque réputée de chaussures sportives.
2. **Imam :** chef de prière dans une mosquée et dirigeant d'une communauté musulmane.
3. **Se liguait :** s'alliait.
4. **Je marchais sur un petit nuage :** j'étais très heureux.

l'immeuble. Une grosse Audi[1] avait ralenti en arrivant à ma hauteur. La vitre s'était baissée côté passager, le temps que Frédéric me fasse signe de monter. Nordine
25 était au volant. Je m'étais laissé tomber sur le siège en cuir, à l'arrière, immédiatement enveloppé par le rythme d'un vieux rap d'Eminem[2] qui vibrait dans l'habitacle :

J'ai l'impression d'avancer sur une corde raide,
Sans filet de protection
30 *Ma vie est pleine de promesses vides et de rêves brisés*[3]

Nous avions roulé dans la nuit naissante jusqu'à un quartier d'entrepôts qui longeait le canal, à l'autre extrémité de Courvilliers. C'était un monde différent, une enfilade[4] d'anciennes usines reconverties en centaines
35 de boutiques où tout se négociait en gros, le tissu par rouleaux, les vêtements par containers[5], la vaisselle par camions, les chaussures de Wenzhou[6] par cargos entiers... J'avais l'impression d'avoir franchi une nouvelle frontière sans même m'en apercevoir. Des idéogrammes[7] chinois
40 recouvraient plus de la moitié des enseignes, les néons clignotaient en mandarin[8], des lanternes de papier, aussi

1. **Audi :** marque de voiture allemande.
2. **Eminem :** chanteur de rap américain né en 1972.
3. Extrait d'une chanson d'Eminem, *The Rock Bottom* (1999).
4. **Enfilade :** rangée, succession.
5. **Containers (ou conteneurs) :** grosses caisses métalliques servant au transport des marchandises, par route ou par bateau.
6. **Wenzhou :** ville portuaire chinoise à l'économie intense et prospère, à 400 km au sud de Shanghai.
7. **Idéogrammes :** signes graphiques représentant le sens des mots.
8. **Mandarin :** langue chinoise moderne.

rondes que rouges, se balançaient contre les fûts des lampadaires auxquels elles étaient accrochées. Presque tous ceux qui occupaient les trottoirs, conduisaient des
45 véhicules, déchargeaient des cartons, poussaient des diables[1], garnissaient les rayonnages des commerces, venaient d'Asie. Nordine avait réduit sa vitesse pour venir se garer entre deux camions, dans un secteur déserté, à l'arrière d'un immeuble en moellons[2] au toit crénelé. De
50 là où nous étions, nous pouvions observer tout ce qui se passait aux alentours, repérer le moindre mouvement. Il avait suffi d'une demi-heure pour que les rues se vident, que les rideaux de fer se baissent sur les amas de richesses venues des antipodes. À huit heures pile, Nordine s'était
55 légèrement penché pour suivre le mouvement d'une Mercedes noire, dans le rétroviseur extérieur.

– On dirait que monsieur Whong est arrivé… Toujours à l'heure, réglé comme une montre suisse… On va lui laisser le temps de s'installer et le plaisir de compter la
60 recette de la journée. Tu te sens d'attaque, Fred ?

Puis il s'était tourné vers moi, sa tête glissée entre les deux sièges. Il avait déplié le bras pour me tendre un Smartphone.

– Pour toi, Skander, les choses sont simples. Tu restes
65 dans la bagnole et tu surveilles les deux rues ainsi que la sortie du parking souterrain. Au moindre doute, des vigiles, des flics, des types louches, tu appelles : j'ai

---

1. **Diables :** petits chariots à deux roues servant à transporter des caisses ou des sacs.
2. **En moellons :** en pierres de construction.

programmé mon portable sur la touche numéro un. On en a pour dix minutes au maximum. Capito ?

70 J'avais pris l'appareil en me contentant d'approuver en silence. Ils étaient sortis de l'habitacle peu après, quand la lumière s'était allumée au troisième étage de l'immeuble de bureaux où était entré ce mystérieux monsieur Whong. Adoptant l'attitude de deux passants en 75 discussion, Nordine et Fred s'étaient dirigés droit sur l'escalier de secours dont les marches disparaissaient derrière le coin de la façade. Leurs ombres s'étaient démesurément allongées sur le bitume en passant devant un projecteur, puis ils s'étaient évanouis[1]. Cela faisait 80 trois ou quatre minutes que je scrutais les places noyées de lumière, que j'interrogeais les coins d'ombre, que je tentais de percer l'obscurité envahissante, quand un cri m'a fait dresser la tête. Une baie vitrée a explosé dans les étages en même temps que retentissait un coup de feu. 85 Deux autres détonations ont déchiré le silence, suivies de claquements de portes, de hurlements, de bruits de cavalcade. Mon pouce écrasait la première touche du Smartphone quand Nordine et Fred avaient traversé les airs depuis le haut des marches de l'escalier d'incendie. 90 Ils s'étaient rétablis à peu près bien sur le bitume, avant de sprinter en direction de l'Audi. Ils s'étaient engouffrés dans la voiture au moment où un Chinois avait jailli du hall du bâtiment, une arme chromée à la main. Nordine était déjà aux commandes, faisant rugir le moteur.

95 – On s'arrache ! On s'arrache !

1. **S'étaient évanouis :** avaient disparu.

Il avait foncé sur lui en marche arrière, l'empêchant de viser. Une balle était allée se ficher dans la vitre qui s'était immédiatement désintégrée. La voiture était partie en vrille[1], le flanc droit accrochant l'arrière de tous les véhi-
100 cules en stationnement. Nordine avait réussi à reprendre le contrôle. Le deuxième projectile avait rebondi sur la carrosserie, mais nous bifurquions déjà à gauche, dans des crissements de pneus sans fin, pour prendre le quai du canal que nous avions remonté à plus de cent vingt à
105 l'heure jusqu'au pont de la Fraternité. Une patrouille de la police municipale s'était mise en travers du carrefour. J'avais fermé les yeux sur l'image de Frédéric enfonçant ses ongles dans le cuir de son siège.

– Tu ne passes pas, c'est pas possible... On va crever !
110 Freine !

J'avais senti la voiture se déporter vers la berge, monter sur le trottoir à pleine vitesse, racler l'écorce d'un platane d'un côté, faire voler des pièces métalliques de l'autre...

Nordine avait poussé un cri de victoire, une fois franchie
115 la bosse que faisait le pont.

– On les a eus ! Vous entendez, on les a eus !

Notre joie avait été de courte durée. Cinq cents mètres plus loin, alors que les haubans[2] du Stade de France se dessinaient dans le ciel plombé, la voiture s'était mise à
120 zigzaguer, plongeant fortement sur la droite. Impossible de maintenir l'allure alors que la chasse s'organisait. Frédéric s'était penché par la fenêtre ouverte.

---

1. **En vrille :** dans tous les sens.
2. **Haubans :** ici, câbles métalliques servant à maintenir le toit du Stade de France à Saint-Denis.

– On roule sur la jante[1], le pneu a explosé…

Pour toute réponse, Nordine avait donné un violent coup de volant à gauche pour prendre une petite rue qui s'enfonçait dans un quartier de maisons basses. La ferraille faisait un bruit d'enfer sur le goudron durci et il avait fallu abandonner l'Audi cent mètres plus loin, près d'un terrain vague transformé en garage à ciel ouvert par des mécanos[2] africains. Je m'étais mis à courir droit devant moi, pataugeant dans l'huile de vidange, me prenant les pieds dans des vestiges d'amortisseurs, des morceaux de pare-chocs, sans savoir où ma fuite éperdue me menait. La dernière chose que j'avais entendue, alors que je contournais le mur d'enceinte d'une église, c'est Frédéric qui criait aux garagistes clandestins :

– Elle est à vous, les clefs sont dessus…

Il m'avait bientôt dépassé pour rattraper Nordine alors que le piaillement[3] des sirènes de police ne cessait de se rapprocher, et que les carreaux des fenêtres captaient déjà les éclats bleutés des gyrophares. Tout en maintenant ma cadence, je tentais de regarder autour de moi, pour trouver une issue, comprenant que nous n'avions aucune chance en restant ensemble. Le salut résidait dans la dispersion. Sans trop réfléchir, je m'étais jeté dans une sorte de passage étroit coincé entre un mur de brique et les palissades ondulées d'un chantier de démolition. Cette ruelle qu'il était impossible d'emprunter autrement qu'en se frottant les épaules aux deux côtés à la fois me

---

1. **Jante :** cercle métallique formant la périphérie d'une roue.
2. **Mécanos :** mécaniciens.
3. **Piaillement :** son aigu.

150 mettait à égalité avec mes poursuivants. Cent mètres plus loin, elle débouchait sur une sorte de village constitué de minuscules maisons en bois, en carton, en improbables matériaux de récupération, occupées par des familles roumaines ou bulgares. Ils avaient tous fait semblant de 155 ne pas me voir ; seul un chien en liberté dont j'avais interrompu la sieste s'était dressé pour tenter de me mordre au mollet. Une ouverture dans un grillage de protection permettait de grimper sur le talus des voies de chemin de fer en s'aidant des branches basses des arbres qui 160 poussaient sur les flancs. Je m'étais retrouvé dix mètres plus haut, à l'amorce[1] du viaduc qui franchissait le canal, les semelles de mes Nike Air Max ripant[2] sur les pierres coupantes du ballast[3]. Courir, toujours courir, ne pas relâcher l'effort... Soudain, un énorme coup de sirène, 165 dans mon dos, m'avait obligé à me retourner. Un train de banlieue à étages, les phares allumés, fonçait sur moi dans un déluge de bruits mécaniques. Je m'étais plaqué contre les montants métalliques du pont, m'agrippant aux croisillons, pour laisser filer le mastodonte[4] dont 170 l'aspiration, au passage, avait failli me précipiter sous ses roues. Quand j'avais voulu reprendre le rythme, je ne parvenais plus à respirer, mes jambes ne me portaient plus, une douleur diffuse se répandait dans tout mon corps. L'impression de peser des tonnes. J'avais réussi à 175 me traîner le long des rails avant qu'un autre convoi ne

1. **À l'amorce :** à l'entrée.
2. **Ripant :** dérapant.
3. **Ballast :** pierres concassées et tassées sous les traverses d'une voie ferrée.
4. **Mastodonte :** objet (ici le train) de très grande dimension.

surgisse, puis à me laisser tomber dans l'herbe humide du talus de la rive opposée, les bras en croix. J'étais resté là, immobile, de longues minutes, le regard perdu dans le ciel sans étoiles, l'oreille aux aguets.

Axelle

J'avais fini par redescendre par un étroit escalier de service que devaient emprunter les ouvriers d'entretien des chemins de fer. Au coin de la rue, faiblement éclairé, un panneau indiquait que je me trouvais à la limite de 5 Courvilliers. Cela m'avait surpris : je ne connaissais pas ce quartier, et il ne ressemblait en rien à celui où j'avais échoué des semaines auparavant. Pas de métro, pas de vendeurs à la sauvette, pas de restaurants ouverts la nuit, pas de cris ni de circulation incessante. Les façades 10 sans fenêtres des studios de cinéma, des immeubles modernes peints de couleurs vives, un square protégé par des grilles occupaient le bord du canal puis, quand on s'enfonçait dans cette partie de la ville, c'était une succession de petites rues serrées, de boutiques 15 anciennes, d'ateliers d'artisans, de maisons tordues, rafistolées. J'avais enfin repris mon souffle, mon calme, en essayant de marcher le plus naturellement possible, de me fondre dans le paysage, de me rendre invisible. D'ailleurs, les rares passants que je croisais ne prêtaient 20 pas la moindre attention à ma présence. Je commençais à penser que je m'en étais sorti… La seule question que je me posais était de savoir si je retournais ou non dans la cave gardée par les hommes de Frédéric et Nordine. C'est alors que le hurlement strident d'une voiture de 25 police en chasse avait fait bondir mon cœur dans ma poitrine. La traque était toujours en cours. Je m'étais aussitôt plaqué contre une porte d'entrée qui faisait renfoncement[1]. Depuis ce recoin, j'avais vu le véhicule noir et blanc traverser le carrefour, cent mètres devant 30 moi, ralentir tandis que ses occupants scrutaient les ténèbres. J'avais compté jusqu'à cent, lentement, avant de quitter l'ombre et poursuivre mon chemin, choisissant de remonter les voies en sens unique, là où le danger ne vient que d'un seul côté. J'avais fini par arriver près 35 du centre-ville rassemblé autour de son clocher, et c'est après avoir longé les murs d'une école que mon regard était tombé sur un grand carré de végétation touffue contenue par un grillage rouillé. Un banc public flanqué d'un panneau de signalisation m'avait servi d'appui et de 40 tremplin pour franchir l'obstacle. Après avoir basculé, j'avais tenté de m'accrocher à une branche qui avait cédé sous mon poids, m'entraînant dans un craquement de bois sec au cœur d'une épaisse broussaille formée de lianes de chèvrefeuille[2], de glycine[3] et de bignone[4] 45 enchevêtrées. Des chats s'étaient enfuis en poussant des miaulements, des oiseaux avaient pris leur envol, perturbés dans leur sommeil. En me débattant pour m'en sortir, je m'étais griffé aux épines d'un rosier grimpant avant de pouvoir, enfin, me libérer de tous 50 ces tentacules[5] végétaux. La lune éclairait faiblement l'endroit où je me trouvais, avec à une quinzaine de mètres sur ma droite le mur latéral de l'école. À une

1. **Qui faisait renfoncement :** qui était en retrait (par rapport à l'alignement des maisons).
2. **Chèvrefeuille :** arbrisseau avec des sarments, des « lianes ».
3. **Glycine :** plante grimpante à fleurs odorantes.
4. **Bignone (ou bignonia) :** arbrisseau grimpant.
5. **Tentacules :** ici, branches qui accrochent (les vêtements ou la peau).

distance à peu près égale, sur ma gauche cette fois, se découpait la forme d'un vieux bâtiment, peut-être une
55 ferme, adossé à une grange, tandis que devant moi ce n'était qu'un fouillis de plantes, d'arbres, de tuteurs[1], de tonnelles[2], de massifs, qui empêchait d'estimer la profondeur de la parcelle. J'avais suivi un petit chemin qui descendait en pente douce vers une placette
60 surmontée d'un réseau de fils de fer tendus entre des piquets où s'accrochaient les multiples tiges d'une vigne. Des feuilles de nénuphars faisaient des taches rondes à la surface d'une petite pièce d'eau garnie de grosses pierres, mais il faisait trop sombre pour voir s'il y avait
65 des poissons. Je m'étais accroupi derrière un buisson en entendant des piétinements sur le trottoir. Une patrouille était passée, composée de deux gardiens en uniforme. Le faisceau des lampes torches s'était perdu dans les branchages. Lorsque le bruit de leurs pas s'était
70 atténué, j'avais progressé jusqu'à une sorte de chalet posé contre le mur de clôture du jardin. J'avais grimpé les trois marches de bois et à ma grande surprise, la porte s'était ouverte dès que ma main s'était posée sur la poignée. Un coin cuisine précédait une sorte de bureau
75 équipé de quelques rayonnages, d'une table recouverte de livres, de dossiers. Il y avait également un fauteuil dans lequel je m'étais aussitôt laissé tomber. Le froid m'avait réveillé, des heures plus tard, et je m'étais enveloppé dans le fin tapis qui recouvrait le sol, pour trouver un

1. **Tuteurs :** tiges de bois ou de métal enfoncées dans le sol pour soutenir ou redresser une plante.
2. **Tonnelles :** constructions, en lattes ou en treillis, soutenues par des cerceaux, au sommet arrondi, et sur lesquelles on fait grimper des plantes.

80 peu de chaleur. Malgré la fatigue, le sommeil s'était alors longtemps dérobé, je cherchais à comprendre d'où provenait le moindre bruit, je me redressais les yeux grands ouverts quand le vent faisait taper une branche contre mon refuge, quand la pluie battait les carreaux, 85 quand le ronflement d'un moteur s'annonçait plus haut dans la rue. J'avais fini par sombrer à nouveau dans le néant, au petit matin.

Au tout début, je pensais que cela faisait partie d'un rêve : je dormais dans mon lit, à Sidi Bouzid, et ma mère 90 se penchait sur moi pour me dire doucement qu'il était temps de me lever pour partir à l'école... Je commençais à sourire avant de soulever les paupières et d'accueillir son baiser sur ma joue quand, au lieu de son souffle sur ma peau, une main s'était fermement posée sur mon épaule.

95 – Qu'est-ce que tu fais là ? Comment tu es entré ?

Un Africain, sensiblement du même âge que moi, se tenait dans l'encadrement de la porte qui menait de la cuisine à la pièce où je me trouvais. Cheveux ras, vêtu d'un jogging[1] sur lequel il avait passé un blouson, j'apercevais 100 derrière lui les visages d'une dizaine d'enfants, garçons et filles mêlés. Je m'étais appuyé sur les coudes.

– C'était ouvert...

– Comment ça c'était ouvert ! La serrure de la grille était fermée à double tour... Il faut avoir les clefs...

105 Il s'était retourné vers les gamins. J'en avais profité pour glisser mes pieds dans mes chaussures neuves maculées[2] de terre, salies par l'huile de vidange.

---

1. **Jogging :** survêtement sportif.
2. **Maculées :** tachées.

– Ne restez pas là sous la pluie. Il n'y a rien à voir. Allez vous mettre à l'abri dans la serre[1]. Axelle ne devrait pas
110 tarder à arriver. Je vous rejoins dans cinq minutes.

Puis il avait fait un pas dans ma direction.

– Je m'étais aperçu qu'il y avait quelque chose de pas normal, le grillage est tordu, le chèvrefeuille a complètement explosé... Tu as eu de la chance de ne pas te blesser.
115 Je me fais un café, tu en veux un ?

S'il avait eu dix ans de plus, j'aurais tenté le tout pour le tout pendant qu'il remplissait le réservoir de la machine, et foncé vers la porte en le bousculant d'un coup d'épaule. Le simple fait que nous fassions partie de la même génération
120 changeait la donne, faisait que d'instinct je lui accordais un minimum de confiance. J'avais pris la tasse qu'il me tendait. Il m'avait montré des biscuits au chocolat.

– Il y a des gâteaux si tu as faim...

– Merci...

125 J'en avais pris deux, me retenant difficilement de ne pas vider le paquet.

– Tu étais déjà venu ici ? Tu savais qu'il y avait un bungalow[2] au fond du jardin ?

– Non... J'étais perdu, je ne connais pas du tout ce
130 quartier... Je n'arrivais plus à marcher. Je cherchais juste un endroit pour dormir. Je me suis allongé, c'est tout, je n'ai touché à rien.

Il avait haussé les épaules.

---

1. **Serre :** construction à parois translucides, parfois chauffée, où l'on met les plantes à l'abri durant l'hiver, où l'on cultive aussi des plantes exotiques.
2. **Bungalow :** petite maison dans un jardin.

– Il n'y a pas grand-chose ici, à part les outils de jar-
135 dinage. Tu habites où, normalement ? À Courvilliers ?

Je lui avais dit la vérité, c'était tout ce que je pouvais lui offrir pour le remercier du petit déjeuner.

– Je n'habite nulle part depuis trop longtemps. Dans des caves, dans des garages, au bord des routes... Ce
140 que je trouve. Ma vraie maison, elle est en Tunisie, à Sidi Bouzid, c'est à l'intérieur des terres...

Il m'avait resservi un fond de café.

– J'aurais dû m'en douter ; il y a beaucoup de Tunisiens qui sont arrivés dans la ville à cause des événements.
145 Des Égyptiens aussi, quelques Libyens. Je sais ce que c'est, je suis passé par là moi aussi... Je viens du Burkina Faso[1]... Tu peux rester te reposer toute la matinée, tu ne gêneras personne. Je vais en parler avec ma collègue, je pense qu'elle sera du même avis que moi... Mon nom,
150 c'est Romaric... Et toi ?

– Skander... Je m'appelle Skander...

Nous venions tout juste de terminer les présentations quand une jeune femme qui devait être Axelle avait traversé le jardin en courant, sous l'averse, pour venir se
155 réfugier dans la serre où se tenaient les enfants. Romaric était allé la rejoindre. Je les avais vus s'embrasser, puis discuter derrière les vitres embuées avant de se diriger, bras dessus, bras dessous, vers le chalet. Elle avait ôté son bonnet en entrant, libérant une avalanche de cheveux
160 bouclés aux reflets roux qui lui avaient fait, en un éclair,

1. **Burkina Faso (ou Burkina)** : pays de l'Afrique de l'Ouest, dont la capitale est Ouagadougou.

comme une auréole[1]. Ses joues étaient constellées de minuscules taches de rousseur, et ses deux grands yeux clairs me fixaient avec bienveillance. Je m'étais soudain senti indigne de ce regard, mal à l'aise dans mes vêtements
165 sales, imprégnés d'odeurs de sueur et de poussière, au point que je n'avais pas vu la main qu'elle me tendait.

– Vous ne voulez pas me dire bonjour ?

Le contact de sa peau m'avait bouleversé, moi qui n'avais plus frôlé une femme depuis des mois. Une brusque cha-
170 leur s'était emparée de mon visage, et j'avais l'impression que le monde entier en était témoin. Pour couronner le tout, les mots étaient arrivés en désordre sur mes lèvres :

– Non, enfin si... C'est pas ce que je voulais dire, excusez-moi...

175 Ma main dans la sienne, je me souviens qu'elle avait fait semblant de ne pas remarquer mon trouble.

– Romaric m'a expliqué que vous veniez de Sidi Bouzid, en Tunisie... Ce n'est pas là qu'un jeune marchand de fruits s'est immolé par le feu ?

180 – Si, je le connaissais bien, il s'appelait Mohammed. Il était étudiant au lycée agricole où j'étais élève moi aussi. Il vendait sa marchandise dans la rue pour payer ses études... Il est mort sous les fenêtres de la maison de mes parents.

185 À sa demande, j'avais raconté la manière dont je m'étais enfui d'une Tunisie en révolte, le périple que j'avais effectué en bateau puis sur les routes de Sicile, d'Italie, la traversée des Alpes dans la neige, pour arriver jusqu'à Courvilliers. J'avais bien entendu passé sous silence ma

1. **Comme une auréole :** comme un cercle lumineux.

190 rencontre avec Nordine et Frédéric, ainsi que les semaines durant lesquelles, pour survivre, j'avais accepté de participer aux activités illégales de leur bande. Pas un mot non plus sur la course-poursuite, la nuit précédente, après l'attaque manquée des bureaux du commerçant chinois.
195 Romaric m'avait interrompu :

– Bien sûr, tu n'as pas de papiers...

– J'ai un passeport tunisien... Je vais essayer de déposer une demande d'asile. Le problème, c'est que je ne sais pas trop comment m'y prendre et j'ai peur de me faire arrêter
200 avant leur réponse, d'être expulsé...

Axelle s'était mise au tutoiement elle aussi.

– On pourra t'aider à faire les démarches... C'est assez compliqué. Il faut essayer, même si ce n'est pas gagné d'avance. Sinon, on a une proposition à te faire ... Tu
205 préfères en parler, Romaric ?

– Non, vas-y, c'est toi qui as eu l'idée...

Elle avait approché un biscuit de ses lèvres.

– Voilà, on ne sait pas si ça peut t'arranger, mais tu pourrais t'installer ici le temps de régler ta situation...
210 On rangerait le bazar[1] pour faire un peu de place, et tu resterais ici en tant que gardien de nuit... Pour tout te dire, on doit faire rentrer pas mal de matériel, dans les prochains jours, et on ne voudrait pas qu'il disparaisse... Mais nous aussi, on a un problème...

215 Je l'écoutais en me demandant si tout ceci était vrai, si on ne me jouait pas un tour, m'interrogeant sur ce qu'il y aurait à donner en retour. L'évocation finale d'un « problème » me confirmait que j'avais raison de me méfier.

1. **Bazar :** désordre.

– Je m'en doutais… Et c'est lequel ?

220 – On n'a pas d'argent pour te payer… Dans un premier temps, on pourra juste t'inviter à manger, matin, midi et soir… On verra ce qu'on arrivera à mettre en place par la suite… Sans garantie, je ne promets rien…

Si j'avais été moins timide, je l'aurais prise dans mes 225 bras, j'aurais embrassé ses joues en respirant les vapeurs de son parfum, posé mes mains sur ses cheveux, effleuré la naissance de son cou du bout de mes doigts… Je n'avais été capable que de contenir l'émotion qui me submergeait avant de bafouiller, une fois encore.

230 – Gardien de nuit… Pourquoi pas ? Bien sûr, merci… C'est formidable… Je ne sais comment vous remercier…

Romaric m'avait donné une tape dans le dos :

– Ne te fatigue pas, tu viens de le faire.

L'oasis[1]

Axelle et Romaric m'avaient laissé ranger le bungalow à mon idée. Ils devaient s'occuper des enfants venus pour un atelier de sculpture sur coloquintes[2]. Des dizaines de courges[3] séchées, qui avaient poussé sur place, étaient disposées sur des étagères à l'intérieur de la serre. Chaque gamin en prenait une pour dessiner un motif sur les rondeurs du légume, avant de le creuser à l'aide d'un outil, une gouge[4], ou de suivre le trait avec une pointe brûlante de pyrogravure[5]. Romaric leur expliquait que c'était un art très pratiqué dans toute l'Afrique, que la Bible même évoquait les sculptures de coloquintes qui ornaient, jadis, le Temple de Salomon[6] à Jérusalem. De mon côté, je m'étais employé à transférer tout ce qui embarrassait la pièce principale du chalet dans la cuisine, avant de faire effectuer le trajet inverse aux objets en y

1. **Oasis :** au sens strict, endroit d'un désert où pousse de la végétation autour d'un point d'eau ; par extension, lieu agréable faisant office de refuge en milieu hostile.
2. **Coloquintes :** plantes méditerranéennes dont les fruits forment comme une calebasse.
3. **Courges :** grosses plantes potagères.
4. **Gouge :** outil de menuisier (ou de sculpteur) creusé en forme de canal, à bout courbe et tranchant.
5. **Pyrogravure :** technique de gravure du bois (ou du cuir) à l'aide d'un fer à brûler.
6. **Le Temple de Salomon :** roi d'Israël (vers 970-vers 931 av. J.-C.), Salomon fit construire un temple somptueux, dont il ne reste aujourd'hui qu'une partie des fondations, appelées « Mur des Lamentations ».

ajoutant de la méthode. La place gagnée me permettrait ainsi, le soir venu, de déplier le lit d'appoint[1] qui se cachait sous les coussins du fauteuil. C'est en mettant de l'ordre autour de l'évier que j'avais mis la main sur
20 le journal du matin, *Le Parisien*, probablement apporté par Romaric qui l'avait posé là au moment de faire le café. J'avais commencé à le feuilleter à la recherche de nouvelles concernant mon pays, puis j'étais tombé sur le cahier central consacré aux événements qui s'étaient
25 déroulés la veille dans le département. Un reportage sur l'incendie d'un campement de Roms[2] installé sous une bretelle de l'autoroute du Nord partageait la moitié de la première page avec l'annonce du transfert des coffres-forts de la Banque de France dans les locaux de
30 Babcock, une usine désaffectée depuis plus de trente ans. Un autre article relatait l'attente des voyageurs d'une ligne du RER[3] après l'interruption du trafic due à une tentative de suicide. Une responsable de la SNCF révélait que cela se produisait près de cinq cents fois par
35 an, rien qu'en Île-de-France. Suicide, train... Ces deux mots avaient fait renaître en moi les images atroces de Mohammed se transformant en torche humaine sur la place de Sidi Bouzid, mais aussi le souvenir plus récent du train essayant de m'entraîner sous ses roues, sur le
40 viaduc jeté au-dessus du canal Saint-Denis. Je m'étais figé en tournant la page. Le titre d'un encadré m'avait sauté au visage : « *Courvilliers : tentative de hold-up*

1. **Lit d'appoint :** lit supplémentaire servant occasionnellement.
2. **Roms :** peuple nomade originaire de Roumanie et de Bulgarie.
3. **RER :** abréviation pour Réseau Express Régional, le train de Paris et de sa banlieue.

dans le quartier chinois. » C'était aussi violent que si on avait braqué un projecteur sur mes yeux, comme
45 dans les films policiers. Mes doigts s'étaient crispés sur le papier, je m'étais retourné pour vérifier que personne n'approchait, puis j'étais allé dans un coin de la pièce pour lire les quelques lignes qui suivaient.

Hier soir, un peu avant vingt et une heures,
50 *deux malfaiteurs ont tenté de voler la recette des établissements Whong, rue Élie Métivier, à Courvilliers. Plusieurs coups de feu ont été échangés, sans faire de blessés. Les agresseurs ont réussi à s'enfuir à bord d'une grosse berline*
55 *allemande qui a été prise en chasse par la police, mais elle est parvenue à se perdre dans le quartier proche du Landy*[1] *après avoir violemment heurté la voiture de fonctionnaires municipaux. Malgré le déploiement rapide de plusieurs patrouilles,*
60 *les recherches se sont avérées infructueuses. Rappelons que ce type de méfait est en constante augmentation. L'ancienne zone industrielle de Courvilliers abrite plusieurs centaines d'entreprises chinoises où travaillent environ*
65 *8 000 employés originaires principalement de la province de Wenzhou, située près de Shanghai. En quelques années, Courvilliers est devenue la porte d'entrée européenne des produits fabriqués*

1. **Le Landy :** quartier situé à cheval sur les villes de Saint-Denis et Aubervilliers.

à Wenzhou, et la majeure partie des transactions[1]
70 *effectuées sur place se fait en argent liquide. Ce qui n'a pas échappé aux délinquants qui se sont spécialisés dans l'attaque des hommes d'affaires chinois. Les autorités incitent les commerçants à changer de mode de paiement, et en préfecture*
75 *on se dit favorable à la création d'une antenne de police dans la zone des entrepôts.*

J'avais plié le journal avant de le dissimuler derrière une rangée de livres de jardinage. Si je réfléchissais bien à ce qu'avait écrit le journaliste, si je pesais bien ses mots, pas
80 une goutte de sang n'avait été versée. Je m'étais senti un peu moins coupable. De plus, personne n'avait été arrêté, et les mécaniciens africains avaient pris au mot Frédéric quand il leur avait crié que la voiture leur appartenait... Même les policiers lancés à nos trousses s'étaient montrés
85 incapables de la retrouver.

Vers midi, Romaric m'avait demandé de l'accompagner jusqu'à l'avenue, pour faire les courses. Il avait commandé trois plats du jour à une femme qui tenait un camion-restaurant, *Le Samoza qui Pique*, collé à une baraque où l'on
90 vendait les appartements d'une résidence en construction.

Le soleil pointait ses rayons entre les nuages, salué par les chants des oiseaux perchés sur les branches qui commençaient à bourgeonner. Il avait fait réchauffer le ragoût dans une casserole, sur la plaque électrique,
95 et m'avait tendu une assiette en premier. Je n'avais rien contre le riz blanc, le mélange de légumes, la sauce tomate,

---

1. **Transactions :** opérations commerciales.

mais la présence de deux petites saucisses m'avait coupé l'appétit. Axelle s'était aperçue de mon trouble.

– Bon appétit tout le monde. C'est un plat de Madagascar, ils en font seulement le mercredi. Un rougail[1] sauce tomate aux saucisses fumées de poulet... Une merveille ! Tu aimes le poulet ?

J'avais été sensible au fait qu'elle me demande ce que j'aimais plutôt que ce que je n'aimais pas. Cela voulait peut-être dire que je comptais pour elle...

– C'est la viande que je préfère, mais chez moi, on n'en fait pas des saucisses...

Après le repas, Romaric s'était mis à remuer tout ce qui se trouvait dans la pièce, à ouvrir les placards, les tiroirs. Jusqu'au contenu de la poubelle. Axelle avait manifesté un peu d'agacement.

– Qu'est-ce que tu cherches à la fin ! On peut t'aider ?

– Le journal... Je me rappelle l'avoir acheté ce matin, sauf que je ne me souviens plus où je l'ai mis !

– Tu en dépenses, de l'énergie. Pour ce qu'il y a dedans... Je ne sais pas ce qui peut t'intéresser. À part les meurtres, les hold-up...

– Parle pour toi. Si je ne fais pas les mots fléchés en buvant le café, je digère mal... Tu ne l'as pas vu quand tu as rangé, Skander ?

Il avait fallu que je profère un mensonge, une fois de plus, mais je m'étais arrangé pour qu'il soit le moins gros possible :

– Non, je ne crois pas...

1. **Rougail :** plat créole à base de légumes, de fruits et de piments avec du poisson ou de la viande.

125 Axelle avait installé les tasses sur une table en bois, au milieu de la terrasse qui baignait dans une tache de lumière. Le prochain groupe d'enfants inscrits aux activités du jardin, un centre de loisirs de Pantin[1], n'arrivait qu'une heure plus tard, ce qui leur laissait le temps de 130 se détendre. Tout autour de nous, la nature était encore au repos, mais il allait suffire de trois ou quatre journées de beau temps pour que les bourgeons éclatent, que les rosiers poussent leurs tiges, la glycine ses lianes, que les fleurs jaunes envahissent le massif de forsythias[2], que les 135 étourneaux se chamaillent dans les massifs. Le chat que j'avais dérangé en faisant intrusion, le soir précédent, était venu se frotter à ma jambe de pantalon, en ronronnant, puis voyant que je ne le chassais pas, il avait sauté d'un bond sur mes genoux. Romaric s'était penché pour le 140 caresser.

– C'est rare qu'Amchiche soit aussi familier... C'est bon signe, il t'a adopté. Tu avais un chat, chez toi ?

– Non, seulement des tortues de terre. Elles étaient libres. On les voyait revenir à toute vitesse vers la maison 145 quand il faisait trop chaud... Elles venaient réclamer des feuilles de salade ou de la pastèque[3]...

Axelle avait pointé le doigt vers le mur du fond.

– On en a une aussi, de tortue. Takoukouze... Une marocaine sans papiers... C'est un voisin qui l'avait ramenée 150 de Ouarzazate[4], pour sa fille, et qui ne pouvait plus s'en occuper... Elle est accro aux endives, mais son dessert

1. **Pantin :** ville de la banlieue nord de Paris.
2. **Forsythias :** arbrisseaux à fleurs jaunes.
3. **Pastèque :** plante à gros fruits, sortes de gros melons.
4. **Ouarzazate :** ville du Sud marocain.

favori, c'est les fleurs de pissenlit. Elle s'est mise en hibernation il y a plus de quatre mois, le 1er novembre, pour la Toussaint. Je pense qu'elle ne devrait plus tarder à se montrer…

J'avais posé la question le nez pointé vers ma tasse où je touillais le café et le sucre avec ma cuiller.

– Qu'est-ce que c'est calme ici… On ne croirait pas qu'on se trouve en plein cœur de Courvilliers ! Le jardin vous appartient ? C'est vous qui avez planté tous ces arbres, les rosiers grimpants, le chèvrefeuille, les vignes ? On démolit, partout où je suis passé, pour construire des immeubles modernes… Comment vous faites ? Ils ne savent pas que vous existez ?

Romaric avait éclaté de rire. Apparemment, la disparition de ses mots fléchés ne lui pesait pas trop sur l'estomac.

– Oh là là, attends ! Tu poses trop de questions à la fois. On ne sait pas par quoi commencer, c'est toute une histoire…

Amchiche s'était dressé sur ses pattes pour sauter sur les genoux d'Axelle qui avait doucement posé sa main sur la tête de l'animal.

– Oui, tu as raison Romaric, ce jardin, c'est toute une histoire…

Toute une histoire

Elle s'était servi une pleine tasse de café avant de commencer à me raconter dans quelles circonstances ce bout de terre abandonné s'était transformé en jardin.

– Si tu as fréquenté un lycée agricole, tu dois savoir 5 l'âge d'un arbre rien qu'en le regardant... Le cerisier, là, devant toi, tu lui donnes combien ?

J'avais évalué la taille du tronc, la hauteur du faîte, la longueur des branches maîtresses.

– En Tunisie, avec le climat il aurait quinze ans... Peut-10 être vingt ici, comme il fait plus froid...

– Tu n'es pas tombé très loin, Skander. On dispose d'un cahier avec toutes les dates des plantations, et pour ce cerisier, c'est novembre 1990. C'est-à-dire qu'il a presque vingt-trois ans. Comme j'en ai eu vingt-quatre le mois 15 dernier, il aurait fallu que mes dons de jardinière soient très précoces pour que je vienne le mettre en terre avant même d'apprendre à marcher... Pour tout te dire, Romaric et moi nous sommes la troisième équipe à nous occuper de l'oasis, aidés par une dizaine de bénévoles.

20 – Une oasis, chez moi, ce n'est pas un endroit où il pousse des cerisiers, mais plutôt des dattiers...

Romaric avait planté ses coudes sur la table, croisé les doigts et appuyé son menton sur le pont formé par ses mains.

25 – Une oasis, c'est un endroit où on se ressource après avoir traversé un désert hostile... Peu importe ce qu'il y pousse... Cette nuit, c'est là que tu as trouvé un refuge,

et tu n'as pas regardé la forme des feuilles, tu ne t'es pas demandé sous quel arbre tu avais pu t'abriter ni pensé aux fruits qu'il allait porter... Tu cherchais simplement une protection... C'est un peu dans cet esprit que cet endroit est né... Une oasis de paix. Vas-y Axelle, à toi l'honneur...

Elle avait aplati ses cheveux roux d'un geste lent, les avait ramenés vers l'arrière pour offrir son visage au soleil.

– La personne qui l'a créé s'appelait Irina. Elle habitait à Sarajevo, en Yougoslavie. Un pays qui n'existe plus[1]. En 1990, elle a compris avant tout le monde que la haine entre les Serbes, les Croates, les Kosovars, les Macédoniens, les Slovènes, les Bosniaques, les Monténégrins[2], allait déboucher sur la guerre. Elle est partie alors que les premiers coups de fusil éclataient. La suite lui a donné raison. Dix ans plus tard, les cadavres se comptaient par centaines de milliers... Son mari est resté pour se battre. On a su qu'il avait été tué, lors d'un bombardement. Elle est arrivée à Courvilliers avec ses deux enfants, un peu par hasard, et elle a trouvé à se loger dans cette rue, un vieux pavillon qui a été rasé pour construire les bâtiments blancs... Je crois qu'elle avait trouvé du travail dans une imprimerie, à la Plaine-Saint-Denis, dans le quartier où il y a maintenant le Stade de France... Chaque fois qu'elle ouvrait sa fenêtre, elle voyait les murs gris de l'école, et à côté une sorte de terrain vague où les gens venaient déposer des gravats, des vieux frigos, des meubles déglingués. Une poubelle à ciel ouvert... Ça lui faisait penser à son pays,

1. **Un pays qui n'existe plus :** la Yougoslavie était un État fédéral qui n'existe plus depuis 1991.
2. Tous ces peuples composaient la Yougoslavie avant son éclatement.

55 la Yougoslavie... Une terre où tout le monde avait réussi à vivre ensemble pendant un demi-siècle, et qui était soudain devenue un champ de ruines.

J'avais entendu parler du siège de Sarajevo, l'un des plus longs de l'histoire, du massacre de plusieurs milliers 60 de Musulmans à Srebrenica[1]. Les images des fouilles, pour retrouver les corps des victimes, m'étaient aussitôt revenues en mémoire.

– Elle était de quelle origine, Irina ? Serbe, croate ?

– Yougoslave. C'est ce qu'elle répondait toujours, même 65 quand son pays avait disparu. J'en ai discuté plusieurs fois avec elle : son père était bosniaque, sa mère croate, son mari serbe... L'Histoire avait tissé des liens d'intimité entre les gens, la majorité des familles ressemblait à la sienne. Mais quand on décide de chercher les différences, on 70 trouve toujours un moyen de parvenir à ses fins. Il suffit d'être de mauvaise foi. Ici en France, pendant la guerre, on a mis des étoiles jaunes aux Juifs pour pouvoir dire qu'ils n'étaient pas pareils que les autres. Et quand quelqu'un demandait en quoi ils étaient différents, on leur répon-75 dait : la preuve, ils portent une étoile jaune ! On y arrive toujours... Ici dans le quartier, il n'y avait pas de square pour les enfants. Dans un premier temps, avec l'aide de voisins, elle a nettoyé la parcelle, fait dégager les épaves, coupé les ronces, installé quelques chaises... Puis elle a 80 organisé une délégation qui a demandé à rencontrer le

1. **Srebrenica :** ville martyre de Bosnie-Herzégovine, qui connut un massacre de sa population en juillet 1995 lors de la guerre entre Serbes, Croates et Bosniaques.

maire pour essayer de savoir à qui appartenait le terrain. On leur a répondu : « à monsieur Personne » !

J'avais souri.

– Il y a vraiment quelqu'un qui s'appelle comme ça ?

85 – À mon avis, ça doit exister... Le nom d'une de mes copines, à l'école, c'était « Plusieurs » alors qu'elle était fille unique... Là, personne, ça voulait dire que le terrain était en déshérence[1], que celui qui le possédait était mort et qu'il n'avait pas d'héritier... Pour faire simple, il n'était 90 plus à personne ! Le maire était d'accord pour qu'Irina et ses amis s'en occupent, mais en échange ils devaient s'organiser en association pour légaliser les choses. À force de discuter entre eux, ils ont eu l'idée d'en faire « une oasis dans la ville ». Ils voulaient tous que ce soit 95 un endroit réservé aux enfants bien qu'ils n'aient pas d'argent pour installer des jeux, un poteau de basket, faire venir du sable... Tout ce qu'ils possédaient, c'était leurs expériences, leur imagination. Une idée s'est peu à peu imposée : transformer cette décharge en un jardin 100 de toutes les fleurs du monde.

Romaric avait tenu à préciser que c'était le premier nom de l'association, ce « Jardin de toutes les fleurs du monde », avant qu'Irina ne trouve « Une oasis dans la ville » qui avait rallié tous les suffrages.

105 Axelle avait ensuite repris le cours de son récit.

– La première chose qu'il a fallu faire, c'est de poser une clôture. Elle a été récupérée sur un chantier de démolition. Ensuite, remuer la terre en profondeur. Tu vois le bâtiment à moitié en ruine, sur la gauche ?

1. **En déshérence :** à l'abandon.

– Oui…

– C'est une ancienne ferme, une maison de plâtre. Pendant des siècles, Courvilliers a été célèbre pour ses productions agricoles, salade de plein champ, chou Milan, oignon jaune paille, navet marteau, salsifis des Vertus… Difficile à croire, hein, quand on voit ce que c'est devenu ? On te montrera tout ça. C'est d'ici que partaient les charrettes qui traversaient Paris jusqu'aux Halles pour nourrir les habitants de Paris… La terre de ce quartier a été travaillée pendant des siècles, et il suffit de la retourner pour qu'elle redonne le meilleur d'elle-même. Le déclic s'est produit grâce à une voisine qui revenait de Tigali[1]. Des vacances dans son village de Kabylie. Elle avait ramené un olivier en pot qu'elle comptait replanter sur son balcon, mais lorsqu'elle a vu le chantier du jardin, elle l'a donné à Irina. Il est là-bas, plein sud… C'est le plus vieux de tous nos arbres. Les enfants récoltent plusieurs kilos d'olives de Tigali chaque année, en novembre, lorsqu'elles sont bien noires. Sur la pancarte, on a inscrit son nom en berbère, *zemmour*, puis en arabe, *zeitoun*, en français, olivier, et enfin en latin, *olea europaea*… Même s'il était entré clandestinement en France, il avait ses papiers, il pouvait prendre racine. Ensuite, c'est un mécanicien hongrois qui a offert un pied de vigne de Tokay[2] provenant d'un domaine que sa famille tentait de faire revivre, dans les plaines du Danube. Les nénuphars blancs viennent du Vietnam tout comme la haie de bambou devant la grange, le mimosa, lui, est originaire de l'Argentella, en Corse…

---

1. **Tigali :** village imaginaire situé en Algérie, inventé par l'auteur dans son livre *Le Chat de Tigali* (1988).
2. **Tokay :** village hongrois, réputé pour son vin du même nom.

– Et cet arbre-là, c'est quoi ?

Romaric était venu se placer devant le tronc recouvert d'une sorte de chevelure enchevêtrée que je venais de
140 désigner.

– Il n'est pas planté, juste posé... Légèrement sculpté. C'est une fougère arborescente du Vanuatu, un archipel de l'océan Pacifique. On l'a reçue en cadeau d'une délégation qui était venue participer à une rencontre internationale
145 sur les contes et les légendes, l'année dernière.

– Oui, mais avant d'en arriver là, il a fallu faire pas mal de chemin. Quand le lieu a commencé à prendre forme, au bout de trois ou quatre ans, Irina a pris son bâton de pèlerin[1] pour aller cogner à toutes les portes.
150 Elle a rapidement pu disposer d'une belle collection de paroles d'encouragements, de soutiens verbaux, puis à force de persévérance on lui a accordé une première subvention. Quelques centaines d'euros. Elle a acheté un peu de matériel, et elle a consacré le reste à l'organisation
155 d'une fête, pour la première récolte de l'Oasis dans la ville ! Elle a sacrifié quelques poulets élevés aux grains, et les enfants de l'école d'à côté ont fait la cueillette des fraises, des framboises, des groseilles tandis que d'autres arrachaient les carottes, les navets, les panais[2], les hari-
160 cots, les salades et prélevaient des feuilles sur toutes les plantes aromatiques[3] disposées près de la serre : estragon, ciboule, cerfeuil, coriandre, basilic... Tout le monde a

1. **A pris son bâton de pèlerin :** est partie à la rencontre des gens qui pouvaient l'aider.
2. **Panais :** sorte de carottes sauvages.
3. **Plantes aromatiques :** plantes utilisées en cuisine pour parfumer les plats.

goûté aux productions locales au son de l'accordéon, de la musique chinoise, africaine, indienne. Coulibaly
165 et Jude, un Burkinabé[1] et un Haïtien, sont venus dire des contes de leurs pays, tandis qu'Hocine Ben a slamé[2] les légendes du bitume de Courvilliers... C'est à partir de ce jour-là qu'Irina a vraiment été prise au sérieux. Elle a reçu de l'aide d'un peu partout, et l'association a
170 réussi à dégager assez de moyens pour embaucher deux personnes. Aujourd'hui, toutes les écoles de Courvilliers et des villes des alentours nous envoient des classes qui viennent découvrir la nature du monde entier en bas de chez eux...

175 Je n'avais cessé de la regarder tout le temps qu'elle avait parlé, fasciné par la passion qui éclairait ses traits.

– Et Irina, qu'est-ce qu'elle fait maintenant ?

– Quand la guerre a pris fin, elle est repartie vers l'ex-Yougoslavie. Elle habite de nouveau à Sarajevo où elle
180 a recréé un jardin sans frontières... L'année dernière, elle est venue nous dire bonjour. Elle en a profité pour planter un prunier, la variété qui sert à distiller l'eau de vie préférée des Bosniaques, la *slivovitsa*... Ici, on se contentera des fruits...

---

1. **Burnikabé :** homme originaire du Burkina.
2. **A slamé :** a raconté en slam, le slam étant une manière particulière de déclamer les textes.

Les papiers du ministre de l'Intérieur

Axelle s'était absentée en milieu de journée pour un rendez-vous important avec une administration. Le Conseil général[1] ou régional[2]... Elle avait téléphoné un peu plus tard pour avertir que la discussion serait
5 plus longue que prévu, et qu'elle ne repasserait pas par l'oasis comme elle l'avait envisagé. Romaric semblait pris de court[3], et je l'avais aidé à accueillir les enfants d'un centre de loisirs de Saint-Ouen[4] qui découvraient le jardin. Comme il ne pouvait s'occuper de plus d'une
10 quinzaine d'enfants dans la serre, j'avais emmené les dix qui restaient vers le potager où je leur avais fait semer en pleine terre des fèves, des pois, des épinards. Je leur avais montré les images d'un livre trouvé sur une étagère du chalet, pour qu'ils comprennent comment de
15 minuscules graines allaient se transformer en légumes, grâce à l'humidité, aux rayons du soleil. Leurs yeux émerveillés m'avaient redonné du courage. Cela faisait longtemps que je ne m'étais pas senti aussi apaisé. Après leur départ, j'avais fait le tour de la parcelle en compagnie
20 de Romaric, afin de dresser la liste de tous les travaux à

1. **Conseil général :** assemblée élue qui gère les affaires du département.
2. **Conseil régional :** assemblée élue qui gère les affaires de la région (laquelle regroupe plusieurs départements).
3. **Pris de court :** à l'improviste, sans avoir assez de temps pour réagir.
4. **Saint-Ouen :** ville de la banlieue nord de Paris.

entreprendre au cours des prochains jours. L'hiver avait fini par rendre les armes et la vie allait s'emparer de la moindre racine, du plus petit brin d'herbe au cours des jours à venir. Tout ce que j'avais appris au lycée agricole
25 de Sidi Bouzid me revenait en mémoire, sans efforts. Romaric écrivait sous ma dictée : fertilisation[1] des rosiers, plantation des aromatiques dans les jardinières[2], préparation des semis[3], taille des arbustes de printemps, mise en terre des bulbes[4] à floraison estivale, destruction
30 des mauvaises herbes, éclaircissement[5] du chèvrefeuille et de la clématite[6]... Alors que le jour déclinait, j'étais allé couper quelques tiges de menthe fraîche, sous la serre, pour les faire infuser avec le thé dans l'eau bouillante et sucrée. Amchiche était venu ronronner près de nous
35 alors que nous discutions.

– C'est rare Romaric pour un Africain... Tu es le premier que je rencontre... Il y en a d'autres ?

– Oui, mais pas beaucoup. Le plus connu, c'est le joueur de foot de l'équipe de Côte d'Ivoire, Romaric N'Dri Koffi...
40 C'est le prénom d'un évêque français... Ma famille faisait partie de la minorité catholique...

J'avais déjà remarqué, le matin, qu'il n'avait pas plaqué sa paume sur son cœur après m'avoir serré la main...

---

1. **Fertilisation :** action de rendre la terre plus fertile en ajoutant du fumier ou de l'engrais.
2. **Jardinières :** bacs ou caisses dans lesquels on fait pousser des plantes.
3. **Semis :** terrains ensemencés de jeunes plantes ou pousses.
4. **Bulbes :** oignons de fleurs ou de plantes.
5. **Éclaircissement :** action de rendre moins denses, moins épaisses des plantations.
6. **Clématite :** plante grimpante à fleurs roses ou violettes.

– Tu es de quelle région du Burkina ? Ouagadougou ?

45 – Non, mon village se trouve à une vingtaine de kilomètres de Dédougou[1], au bord du fleuve Mouhoun[2], pas très loin du grand pont en terre rouge de Douroula[3]... J'étais pêcheur. On tendait des filets, entre deux pirogues, avec mon père, mes frères, pour attraper les bancs de 50 poissons d'eau douce, les reoolgos, les tatares, les zagres, les tulibris[4]... On n'en trouve pas ici, mais je me rappelle du goût... Ma grand-mère les vendait sur le marché, et ma mère fumait[5] ceux qui restaient, pour les conserver. Elle s'occupait aussi des poissons-médicaments...

55 – Des poissons-médicaments ? Jamais entendu parler ! Les plantes-médicaments, oui, pas les poissons... Vous en faites quoi, des cachets ?

– Non, de la poudre. Ce sont des espèces sans arêtes, sans cartilage, des poissons mous... Il y en a qui soulagent 60 les rhumatismes, certains qui aident le sang à circuler, d'autres qui donnent aux hommes l'envie d'avoir des enfants... Chaque fois, c'est une préparation spéciale, une sorte de secret qui se transmet de génération en génération...

65 Romaric m'avait ensuite expliqué que la sécheresse avait fait baisser le débit du fleuve, année après année, que la pollution venue des cultures, des troupeaux s'était installée dans le bas niveau des eaux, que les poissons s'étaient

1. **Dédougou :** ville du Burkina.
2. **Mouhoun :** fleuve du Burkina.
3. **Douroula :** ville du Burkina.
4. **Reooglos, tatares, zagres, tulibris :** espèces de poissons.
5. **Fumait :** faisait sécher les poissons avec de la « fumée » pour mieux les conserver.

faits plus rares, qu'ils nageaient souvent le ventre à l'air,
70 que la misère était apparue en même temps que la vase.

– Les jeunes n'avaient plus aucun avenir au bord du fleuve. J'ai décidé de partir, de rejoindre Bamako[1], au Mali. De là, je suis monté dans le train qui traverse tout le pays pour rejoindre Dakar[2], au Sénégal. Plus de mille
75 kilomètres sur le marchepied... Un premier bateau m'a emmené jusqu'en Mauritanie[3], un autre au Maroc... J'ai mis plus de six mois à franchir la frontière française en m'arrêtant une semaine pour travailler dans les serres d'Andalousie[4], une autre dans les vergers de Valence[5],
80 une autre encore au milieu des vignes du Languedoc[6]... Je ne me suis jamais découragé, pas même une minute. J'ai toujours su que j'y arriverais.

J'avais fini par lui poser la question qui me brûlait les lèvres.

85 – Moi aussi j'ai pris un bateau, des camions, des trains, j'ai marché, j'ai travaillé sur le chemin... Le plus difficile commence quand on arrive ici... Comment tu as réussi à avoir des papiers, des vrais papiers ?

Il avait soulevé la théière argentée au-dessus de nos
90 verres vides tout en l'inclinant, pour les remplir à nouveau.

– Dans ma religion, on croit aux miracles... À force de les attendre, ils finissent par se produire. Pendant deux

---

1. **Bamako :** capitale du Mali.
2. **Dakar :** capitale du Sénégal.
3. **Mauritanie :** État d'Afrique de l'Ouest, qui a une frontière commune avec le Mali (à l'est) et avec le Maroc (au nord).
4. **Andalousie :** province du sud de l'Espagne.
5. **Valence :** ville de la côte orientale de l'Espagne.
6. **Languedoc :** région du sud-est de la France.

ans, j'ai habité n'importe où, dans des caves, des garages, des maisons abandonnées, dans des voitures, sous des
95 tentes igloo[1], dans des cartons... Je gagnais tout juste de quoi ne pas mourir de faim en travaillant sur les chantiers de la Plaine-Saint-Denis, pour les entreprises de démolition qui affichaient sur de grands panneaux qu'elles étaient agréées[2] dans les opérations de désamiantage[3], qu'elles
100 avaient tous les labels écologiques... Alors qu'on nous envoyait casser les murs, les toits, équipés d'une pioche, sans masques, sans combinaisons de protection... Pareil pour la dépollution des sols des anciennes raffineries de pétrole, le démontage des usines à gaz... Un jour, il y a eu
105 un accident. Un jeune est tombé au travers d'une verrière. Les deux jambes cassées. Ils l'ont sorti du chantier pour ne pas avoir d'ennuis avec les assurances et l'Inspection du travail[4]. L'histoire s'est répandue dans Courvilliers, et des associations ont commencé à s'intéresser aux chan-
110 tiers... On a sympathisé jusqu'au jour où un des types qui venaient manifester en notre faveur m'a proposé de participer à un parrainage républicain[5]...

– Un parrainage républicain ? Jamais entendu parler...

1. **Des tentes igloo :** des tentes en forme de coupole.
2. **Agréées :** officiellement reconnues et habilitées par les pouvoirs publics.
3. **Désamiantage :** enlèvement de l'amiante, longtemps utilisé comme protection contre le feu dans le bâtiment mais de nos jours reconnu comme cancérigène.
4. **L'Inspection du travail :** organisme officiel chargé de vérifier l'application des règles du Code du travail.
5. **Parrainage républicain :** action de soutenir et d'aider un sans-papiers dans ses démarches administratives.

Il s'était arrêté pour me montrer un avion qui piquait
115 droit dans les nuages, en direction du sud.

– C'est l'Airbus de seize heures trente qui va faire escale à Alger chaque vendredi. Il vient de décoller de Roissy... Je le regarde toutes les semaines. Dans moins de neuf heures, il atterrira à Ouagadougou... Moi non plus, je ne savais
120 pas ce que c'était. Dans ma tête, les parrains, ça concernait les enfants. Là, on s'est retrouvés à une quinzaine de sans-papiers, des Chinois, des Africains, des Arabes, des Hindous, accueillis par le maire en personne dans la salle des mariages de Courvilliers. Il nous a présenté
125 les Français qui avaient accepté de nous parrainer, puis devant une salle pleine à craquer, on est tous montés, un par un, sur l'estrade. Le maire, avec son écharpe tricolore sur la poitrine, faisait un petit discours, à chaque fois. Il nous présentait, avant que le parrain s'engage à protéger
130 et à aider son filleul ou sa filleule dans ses démarches. Le mien s'appelle Roger Martin. C'est un professeur de collège qui écrit aussi des romans historiques. Il m'a accompagné plusieurs fois à la préfecture, dans les services sociaux, sans trop de résultats. Ça le rendait nerveux... Un jour, il
135 a eu l'idée d'envoyer son nouveau livre, un roman policier, au ministre de l'Intérieur, avec une lettre dans laquelle il expliquait mon histoire et les raisons pour lesquelles il me défendait...

– Il te mettait une cible sur le front ! Parler de toi à un
140 ministre de l'Intérieur, c'est la meilleure façon de te faire avoir des ennuis !

– C'est exactement ce que j'ai pensé, au début... Mais comme on dit ici, le pire n'est jamais sûr. Une semaine plus tard, il a reçu un courrier en provenance directe du

145 cabinet du ministre. Une carte de visite pour le remercier de l'envoi de son livre, accompagnée d'une lettre où il était écrit que monsieur le ministre serait très attentif à l'examen de la situation du sieur Romaric, avec tampon officiel et signature authentique de Brice Hortefeux[1], le
150 meilleur copain de Nicolas Sarkozy !

J'avais éclaté de rire.

– C'est une histoire de fou !

– Oui, sauf que mon parrain m'a donné l'original de la lettre. Tu ne vas pas me croire, mais à l'époque je travaillais
155 comme ouvrier clandestin sur les finitions du chantier du nouveau commissariat de Courvilliers… On faisait les peintures des couloirs, on branchait l'électricité, on posait du carrelage… Les policiers s'installaient déjà dans leurs bureaux. J'étais cerné par les uniformes, les képis…
160 J'ai mis la lettre sous plastique, et elle ne m'a pas quitté pendant près de deux ans. Avant, je n'étais qu'une ombre, et même la mienne me faisait peur… Avec la lettre, c'est comme si on m'avait fait cadeau d'une armure. Je me souviendrai toujours de la première fois où je l'ai sortie,
165 lors d'un contrôle dans le métro. J'étais tombé sur un flic martiniquais. Ils aiment bien se faire[2] les Africains, mais là il regardait l'entête du papier, la signature de son maréchal, puis la tête du pauvre Noir qu'il avait en face de lui. Ça ne collait pas. Il voyait que c'était de l'authen-
170 tique, il n'avait pas le mode d'emploi. Il s'est penché vers moi : « D'où tu sors ça ? » Je lui ai répondu avec quelques

1. Brice Hortefeux fut ministre de l'Intérieur de 2009 à 2011 durant la présidence de Nicolas Sarkozy.
2. **Se faire :** prendre en faute.

mots de créole : « Bonjou… Pani pwoblem[1]… C'est mon parrain, Roger Martin, l'écrivain de polars… Il connaît Brice Hortefeux, ils s'écrivent… Ils s'occupent de moi…
175 Vous pouvez vérifier, il y a un numéro de téléphone… » Il a soulevé sa casquette pour se gratter la tête en se demandant s'il allait demander conseil à son chef, puis il m'a tendu mon papier : « I bon, ou ka fè mwen bat. Dégage[2] ! » Deux ans dans ma poche, contre mon cœur,
180 comme un passeport, comme un pacemaker[3]… Je ne l'ai remplacée que l'année dernière, quand je me suis marié et que j'ai eu la nationalité française. Je n'en ai plus besoin maintenant, mais c'est une partie de ma vie. Je l'ai conservée : je l'ai même encadrée et posée sur une
185 étagère à la maison.

Mon rire s'était figé lorsque j'avais entendu ses dernières phrases… Marié ? C'est ce que je craignais sans oser me l'avouer. Le mot m'avait transpercé la poitrine, un choc qui m'avait obligé à ouvrir la bouche, à la recherche d'un
190 peu plus d'air.

– Tu es… Vous êtes mariés toi et Axelle ?

Il avait froncé les sourcils, creusé son regard. Son front s'était couvert de rides comme celui, sûrement, du policier antillais dans le métro.

195 – Qu'est-ce que tu racontes, Skander ? Où est-ce que tu es allé chercher que j'étais marié avec Axelle ? Ça ne va pas ! On bosse ensemble, on s'entend bien, on est très

---

1. « Bonjour, pas de problème. »
2. « C'est bon, tu me gonfles. Dégage ! »
3. **Pacemaker :** petit appareil implanté sous la peau pour stimuler le rythme cardiaque.

copains, c'est tout. Ma femme s'appelle Yoshiko, et je peux même te dire qu'elle attend notre premier enfant.

200 Je m'étais retenu pour ne pas me lever et le prendre dans mes bras. Ici, rien n'était pareil, à ce que j'avais appris. À Sidi Bouzid, on ne fait pas semblant. Quand un homme et une femme arrivent bras dessus, bras dessous, comme eux ce matin, dans le jardin, c'est qu'ils sont unis pour la 205 vie... Il n'en était donc rien. La douleur, dans ma poitrine, s'était évanouie, remplacée par un sentiment mystérieux qui me faisait monter les larmes aux yeux. En vérité, la vie n'avait jamais été aussi belle.

Travaux de printemps

Au cours des quinze jours qui avaient suivi, je n'étais pratiquement jamais sorti de l'Oasis, sinon pour aller faire quelques courses dans les boutiques du quartier. J'avais poussé une fois jusqu'au Stade de France
5 pour acheter du matériel dans un grand magasin de jardinage installé près du canal. J'en avais profité pour passer un coup de téléphone à ma mère. Malgré la fuite du dictateur, la situation était toujours très tendue. Pas un jour sans manifestation pour exiger le
10 départ immédiat du pouvoir de tous ceux qui l'avaient servi. Une partie des policiers de Sidi Bouzid avaient rejoint le peuple en colère, mais elle me demandait de ne pas revenir tant que les choses demeuraient incertaines. Je prenais mes habitudes dans le chalet
15 que je remettais en ordre, le matin, avant l'arrivée des classes. Le temps s'était mis au beau, avec une forte poussée des températures, et tous les arbres, tous les massifs s'étaient couverts d'un coup de feuilles ou de fleurs minuscules. Un véritable feu d'artifice ! C'est
20 tellement soudain, qu'on a l'impression que rien ne peut résister à cet appel de la nature. C'est pourtant un moment où les plantes sont particulièrement fragiles. Leur sève, leurs sucres, leurs parfums attirent des armées de prédateurs[1], insectes et champignons.

---

1. **Prédateurs :** animaux ou végétaux nuisibles, qui vivent aux dépens des plantes.

25 Les attaques sont innombrables, presque invisibles, tout au moins au début. Si l'on n'est pas vigilant, on s'aperçoit des dégâts quand il est trop tard. Il faut ramasser les larves des papillons, brûler les chenilles qui dévorent les feuilles des arbres fruitiers, traiter
30 les groseilliers, les mûriers, les lauriers roses contre les cochenilles[1], répandre de la cendre de bois pour contrarier les déplacements des escargots, soufrer[2] les rosiers afin d'éviter que la lèpre blanche n'enveloppe leurs jeunes pousses, libérer des coccinelles sur les
35 branchages des seringas[3] colonisés par des armées de pucerons, pulvériser de la bouillie bordelaise[4] sur les feuilles attaquées par le champignon de la rouille[5]... Je m'étais également occupé des colonies de vers blancs qui s'attaquent aux racines des arbustes, des plantes
40 potagères, sarclant[6], binant[7] pour les extraire du sol avant de les brûler dans le fond d'un vieux bidon. Axelle m'avait aidé à nettoyer tout un tapis de plantes grasses très charnues, des sortes d'artichauts chinois, qui avaient envahi la pente qui butait sur le mur de

---

1. **Cochenilles :** nom d'une variété d'insectes.
2. **Soufrer :** enduire ou répandre du soufre pour protéger une plante ou un arbre contre les parasites.
3. **Seringas :** arbrisseaux en forme de buissons, aux fleurs blanches et très odorantes.
4. **Bouillie bordelaise :** solution de sulfate de cuivre pour traiter les arbres.
5. **Rouille :** maladie des plantes et céréales provoquée par des champignons et se manifestant par des taches semblables à des taches de rouille.
6. **Sarclant :** arrachant les mauvaises herbes avec un outil, le sarcloir.
7. **Binant :** remuant la terre avec une binette, petit outil de jardinage.

45 l'école. Nous avions supprimé les touffes abîmées par l'hiver et j'en avais profité pour planter quelques jacinthes[1] pour mettre un peu de couleur, de fantaisie, dans le vert uniforme. À plusieurs reprises nos regards s'étaient croisés, nos mains s'étaient frôlées, nous 50 nous étions souvent échangé des sourires, quelques fous rires... Loumia, l'une de ses amies, récupérait des quantités de vêtements en bon état qu'une dizaine de femmes réparaient dans un atelier proche du jardin, avant d'aller les vendre à petits prix sur la place du 55 marché central. Les élèves d'un lycée technique proche leur donnaient un coup de main, servant de modèles, organisant des défilés au milieu des étals[2] de fruits, de légumes, de babioles, de viandes et de poissons. J'avais pu me rhabiller à bon compte. Pour la première 60 fois de mon existence je disposais de trois ou quatre pantalons, et d'autant de chemises d'avance. Un soir de fin avril, après le départ des enfants, j'avais mis le feu au tas de feuilles mortes, de branchages, de débris tombés des tonnelles, des pergolas[3]. Romaric, qui 65 devait accompagner sa femme à la clinique pour une échographie[4], ne s'était pas montré de l'après-midi. Axelle s'était assise en tailleur sur l'herbe nouvelle, une baguette à la main pour remuer les braises. Amchiche avait tenté de venir se blottir contre elle, mais un épais 70 retour de fumée âcre l'avait fait fuir sous le banc posé

1. **Jacinthes :** plantes bulbeuses à fleurs colorées et parfumées.
2. **Étals :** tables où les marchandises sont exposées dans les marchés.
3. **Pergolas :** petites constructions de jardin dont la toiture, soutenue par des colonnes, sert de support à des plantes grimpantes.
4. **Échographie :** méthode d'examen médical, fondée sur les ultrasons.

près de la mare aux nénuphars. Je l'avais regardée avec insistance.

– Qu'est-ce qu'il y a ? Je me suis mis de la terre sur la figure, j'ai quelque chose dans les cheveux ?

75 – Non, rien... Je te regardais, c'est tout. Tu ne m'as jamais dit comment tu étais arrivée ici...

Du bout de sa badine, elle avait repoussé un morceau de bois vers les flammes.

– Ce n'est pas très intéressant...

80 – Peut-être pour toi, mais pas pour moi... S'il te plaît...

– J'ai toujours aimé les jardins, c'était le métier de mon père... Non, ce n'est pas comme ça qu'il faut que je commence sinon tu n'y comprendras rien. Je suis là parce qu'un jour, on a fait exploser ma maison... J'habitais 85 depuis ma naissance à moins d'un kilomètre d'ici, une barre de béton[1] dans une cité qui avait mal vieilli. Les gens qu'on y mettait étaient de plus en plus pauvres, de plus en plus fatigués. C'est devenu ce qu'on appelle un quartier sensible... Un jour, il a fallu entasser tout ce 90 que nous avions accumulé dans des cartons, pour aller s'installer dans un secteur que je n'aimais pas, à l'autre bout de la ville. Tous les habitants de la barre, les copains, les copines, sont revenus quinze jours plus tard, invités par la mairie à la destruction du bâtiment. Les ouvriers 95 d'une entreprise avaient enlevé les fenêtres, les portes et disposé des cartouches de dynamite dans des trous percés dans les murs. On était là, en face, comme au cinéma. Le maire a appuyé sur le bouton, et la barre s'est effondrée lentement dans un nuage de poussière blanche.

1. **Barre de béton :** long immeuble en béton.

100 Personne n'a applaudi. On s'est tous regardés, la gorge nouée, les larmes aux yeux. J'ai compris à ce moment-là qu'on venait de me voler tous mes souvenirs d'enfance, qu'on venait de jeter une bombe dans une partie de ma mémoire, qu'on avait détruit des milliers de liens qui 105 me rattachaient à ma famille, à mes voisins. Pour mon bien ! Les gens ont besoin de voir les choses s'éloigner doucement, de voir vieillir ce qui les entoure, ils ont droit à la ruine, à l'usure du temps… Surtout dans les quartiers sensibles, les quartiers douloureux… En fait, on traite 110 les quartiers sensibles avec violence, alors qu'on devrait traiter les quartiers violents avec sensibilité…

J'avais lancé dans le feu une pomme de pin dont les écailles, avant de crépiter, s'étaient ouvertes au contact de la chaleur.

– Tu es venue trouver refuge à l'oasis, directement 115 après l'explosion ?

– Non, à ce moment-là, je ne savais même pas qu'elle existait… Mon père était jardinier à la ville de Montreuil[1], dans les serres municipales. Pas simplement un métier, une passion… Il passait la plus grande partie de son temps 120 libre sur une parcelle de près de mille mètres carrés qu'il louait sur les terrains qui entourent le fort de l'Est[2], au bord de l'autoroute du Nord. Un grand potager, des arbres fruitiers, des massifs de fleurs… J'étais toujours avec lui, je l'aidais à arroser, j'élevais des escargots dans une cage 125 grillagée… Un vrai paradis à deux minutes de la cité… Il m'a appris la technique des pommes et des poires marquées… On apprend ça, à Sidi Bouzid ? Tu connais ?

1. **Montreuil :** ville de la banlieue est de Paris, en Seine-Saint-Denis.
2. **Fort de l'Est :** ancienne fortification militaire, censée protéger Paris.

J'avais seulement fait « non » de la tête.

– Mon père avait retrouvé, à son travail, des pochoirs[1]
130 qui représentaient tous les monuments de Paris et qui servaient à préparer les fruits illustrés destinés à la table du tsar de Russie, du roi de Suède, avant la guerre de 1914-1918... Plus personne ne s'y intéressait alors que c'était une spécialité de la ville. Il faut envelopper les fruits dans des
135 sachets pendant tout l'été, pour que leur peau reste bien claire. En septembre, on enlève les papiers, et on colle les pochoirs sur les pommes, les poires. Le soleil fait mûrir la peau sauf aux endroits protégés... Au bout de quelques semaines, en retirant les pochoirs, on s'aperçoit que le
140 motif a été imprimé sur le fruit, par photosynthèse[2]... Pour mon anniversaire, en octobre, j'avais un plateau avec la tour Eiffel, le Sacré-Cœur, l'Arc de Triomphe, l'obélisque de la Concorde, Notre-Dame... À la mort de mon père, il y a presque trois ans, j'ai fait une demande à la Société
145 des jardins ouvriers pour conserver son verger : j'avais remué la terre depuis des années, je voulais prendre la suite... J'ai été refusée, sans explication... J'ai passé une annonce pour donner tout ce qui pouvait s'emporter, le matériel, les outils, les produits, les plantes qui étaient
150 transportables. Les seuls qui ont répondu, ce sont les bénévoles de l'Oasis dans la ville. Je les ai aidés à charger leur camionnette, puis je les ai accompagnés jusqu'à Courvilliers pour le déchargement.

---

1. **Pochoir :** plaque de carton ou de métal découpée selon un motif sur laquelle on passe une brosse ou un pinceau pour reproduire ce motif.
2. **Photosynthèse :** opération chimique qui permet aux plantes de fabriquer de la matière organique en utilisant la lumière du soleil comme source d'énergie.

– Tu es arrivée ici...

155 – Oui. Un peu comme toi, par hasard. Je n'en croyais pas mes yeux. J'essayais de suivre des cours à la fac, à l'époque, des études qui n'étaient pas faites pour moi. Je passais plus de temps ici, avec Romaric, avec l'équipe des jardiniers, des conteurs, que sur les bancs de l'université.

160 Elle s'était levée et m'avait tendu la main pour m'aider à me mettre debout.

– Tiens, viens voir...

J'avais gardé ma main dans la sienne et je l'avais accompagnée jusqu'au fond de la parcelle, près de deux jeunes 165 arbres fruitiers.

– La première chose que j'ai faite, ici, c'est de planter un poirier et un pommier. Dès qu'ils donneront des fruits, j'organiserai un atelier de pommes et de poires marquées, avec les pochoirs du tsar de toutes les Russies...

170 J'avais juste eu besoin de plaquer mon autre main sur son épaule pour que sa tête se penche et s'incline sur ma poitrine. Mes doigts s'étaient perdus dans les cheveux roux à la recherche de sa nuque. Elle avait alors relevé son visage vers le mien, les yeux écarquillés. Je ne sais d'où 175 m'était alors venu le courage de poser mes lèvres sur les siennes... Je n'étais pas comme tous les jeunes vantards de la côte, les garçons de mon âge qui travaillaient sur les plages de Djerba[1], dans les hôtels de Sfax[2], les centres de vacances d'Hammamet[3], et qui se vantaient de leurs 180 bonnes occasions avec les touristes allemandes, françaises,

1. **Djerba :** île très touristique en Tunisie.
2. **Sfax :** ville et port du Sud tunisien.
3. **Hammamet :** ville de Tunisie sur le golfe du cap Bon.

suédoises... Dans l'intérieur du pays, dans les villes comme Sidi Bouzid, elles ne faisaient que passer en voiture, sans un regard pour les paysans qui défilaient derrière les vitres fumées des habitacles climatisés.

185 Nous avions passé l'heure suivante enlacés devant le feu finissant, avant d'aller manger un tajine[1] dans un petit restaurant marocain qui avait choisi *Le Caire-Rouen* pour enseigne. Quand nous étions revenus, la nuit enveloppait l'Oasis, faisant naître des dizaines d'étoiles dans un ciel
190 d'encre. Axelle avait poussé la grille pour se diriger vers le chalet. Son pull avait glissé sur ses épaules, son jean sur la courbe de ses hanches, la clarté du ciel avait creusé des ombres mouvantes sur ses seins. J'étais nu, moi aussi, quand notre premier lit nous avait engloutis.

---

1. **Tajine :** spécialité culinaire marocaine consistant en un ragoût de viande (ou de poisson) cuit à l'étouffée.

Mauvaise rencontre

Axelle était partie au petit matin retrouver l'appartement qu'elle partageait avec sa mère. Elle m'avait fait jurer d'être discret, de ne parler à personne de notre rencontre, de ne pas dévoiler nos sentiments à ceux qui nous entouraient. 5 J'avais évidemment accepté même si j'étais persuadé que les battements de mon cœur, le moindre de mes regards, chacun de mes gestes trahiraient ma promesse à la première occasion. Le printemps s'était enfin installé au cours de la semaine suivante comme s'il avait décidé de 10 saluer notre union. Les arabis[1], les ancolies[2], les giroflées[3], les pâquerettes, les primevères[4], les cerisiers et les myosotis[5] avaient illuminé le jardin de leurs éclosions alors que les pensées[6], les œillets ou les violettes s'apprêtaient à prendre le relais. Romaric ne venait qu'un jour sur deux, absorbé 15 par la préparation du festival de contes et légendes que l'Oasis accueillait chaque année en mai, quand se mêlaient les parfums du lilas et du muguet. Lors d'une de ses visites en coup de vent, il m'avait confié qu'une ville voisine organiserait bientôt un nouveau parrainage républicain :

20 – J'ai pensé à un sportif du coin qui pourrait te prendre sous son aile. Un type bien. Il a ramené une médaille

1. **Arabis :** plantes aux fleurs vivaces.
2. **Ancolies :** plantes ornementales aux fleurs blanches ou roses.
3. **Giroflées :** plantes aux fleurs odorantes.
4. **Primevères :** fleurs de début de printemps.
5. **Myosotis :** plantes à petites fleurs bleues, blanches ou roses.
6. **Pensées :** plantes très colorées.

d'argent des jeux Olympiques de Londres, et la ministre des Sports lui a remis personnellement la Légion d'honneur… Pour toi, ce serait l'idéal… Je ne t'en dis pas plus
25 tant que ce n'est pas sûr.

C'est dans la soirée qui avait suivi cette conversation que tout avait commencé à se détraquer. Axelle s'était installée dans le chalet pour remplir au calme un dossier de demande de subvention, tandis que je préparais des
30 boutures[1] de figuiers et d'hortensias[2] dans la serre, aidé par un groupe d'enfants du centre de loisirs voisin. J'avais raccompagné les gamins à la grille depuis plus de deux heures alors qu'elle n'avait pas levé le nez de ses dossiers.

– Tu en as encore pour longtemps ?

35 Elle avait frissonné quand j'avais embrassé sa nuque.

– Arrête, il faut que tout parte demain matin à la préfecture. J'en ai pour la nuit. C'est de plus en plus compliqué ! Ils demandent des trucs complètement tordus… Je suis persuadée qu'ils embauchent des fonctionnaires pervers[3]
40 pour qu'on fasse le maximum d'erreurs et qu'ils aient de bonnes raisons de nous refuser de l'aide. Je vais tout embarquer à la maison et mettre au propre sur l'ordinateur. On mange ensemble puis je file. Ils ont ouvert une boîte à sushis[4] près de l'écluse, un peu avant le stade…
45 Tu aimes ça, le poisson cru ?

– Je ne sais pas, mais je peux essayer…

---

1. **Boutures :** fragments de végétaux susceptibles de régénérer une plante.
2. **Hortensias :** arbrisseaux possédant de grosses fleurs en boule, de couleur rose, blanche ou bleue.
3. **Pervers :** méchants, vicieux.
4. **Boîte à sushis :** boutique qui vend des sushis, plat japonais consistant en du poisson cru accompagné de riz assaisonné.

– Tu es un amour. Je t'écris le menu…

J'étais sorti vers la droite avant de bifurquer dans la rue Paco-Asensi qui bute sur le canal à hauteur de la passerelle
50 de la Fraternité. Je m'étais arrêté devant une plaque de marbre qui rendait hommage à Fatima Bedar, une lycéenne de quinze ans noyée par la police, le 17 octobre 1961[1], quand un scooter qui filait sur la piste cyclable avait pilé à dix mètres de moi. Le pilote de l'engin avait soulevé la
55 visière de son casque.

– Skander ! Pas possible ! On croyait que tu étais mort… Qu'est-ce que tu fous dans le coin ? Approche…

J'avais reconnu les phares jumeaux, la bulle haute, les ailerons, les chromes du TMax sombre de Nordine, et dans un
60 premier temps j'avais cru que c'était lui qui m'apostrophait. Quand un des derniers rayons du soleil déclinant avait fait briller l'anneau passé à son oreille, j'avais identifié Frédéric.

– On se demandait ce que tu étais devenu… Je croyais même que les flics t'avaient arrêté et renvoyé en Tunisie…
65 Tu aurais pu donner des nouvelles… Où est-ce que tu vas ? Tu habites dans le secteur ?

Il posait trop de questions et je n'avais envie de répondre à aucune.

– Je me débrouille… Je suis content qu'ils ne vous aient
70 pas eus. Ils ont failli m'attraper, après l'accident. Je serais bien retourné à la planque du métro, mais notre histoire a fait du bruit. J'avais peur d'être suivi et de les mettre sur votre piste.

---

1. **17 octobre 1961 :** ce jour-là, à Paris, un grand nombre d'Algériens manifestèrent pour l'indépendance de leur pays, à l'appel du FLN (Front de libération nationale), contre lequel la France était alors en guerre. La répression policière fut d'une violence extrême.

– On savait qu'on pouvait compter sur toi.

75 – Merci. Il faut que j'y aille. Tu diras bonjour à Nordine de ma part…

Frédéric avait tapoté le cuir du siège passager.

– Grimpe, tu le salueras en direct, ça lui fera plaisir. Il t'aime bien, il me parle souvent de toi… Skander par-
80 ci, Skander par-là… On brasse pas mal de liquide en ce moment. Tente ta chance, il se pourrait qu'il ait un boulot à te proposer.

– C'est vraiment sympa de votre part à tous les deux, mais j'ai déjà de quoi m'occuper. Je passerai vous voir un
85 de ces jours…

Il n'avait pas insisté, et j'avais vu disparaître le scooter derrière les silos[1] de l'usine à béton, alors que je traversais la passerelle courbe dont l'arche unique se reflétait dans l'eau grise du canal Saint-Denis pour former un cercle par-
90 fait. Le cuisinier japonais avait confectionné devant moi l'assortiment de sushis, de makis[2], de sashimis[3] composé par Axelle, avant de disposer délicatement le tout dans un sac en papier noir avec le wasabi[4], le gingembre[5], les dosettes de sauce soja, les baguettes[6] et deux canettes de
95 bière Asahi[7]. Sur le chemin du retour, j'avais croisé plusieurs groupes de femmes roumaines, quelques hommes

1. **Silos :** ici, réservoirs où sont entreposés les ingrédients (mortier, sable, gravier…) pour faire du béton.
2. **Makis :** sushis roulés dans des feuilles d'algues séchées.
3. **Sashimis :** poissons crus découpés en fines tranches.
4. **Wasabi :** pâte piquante et parfumée.
5. **Gingembre :** nom d'une épice.
6. **Baguettes :** baguettes en bois ou en plastique pour manger à la japonaise.
7. **Asahi :** marque d'une bière japonaise.

aussi, qui triaient le contenu des poubelles, entassant leurs trouvailles dans des poussettes hors d'âge. Je ne parvenais pas à m'habituer à ce spectacle qui ne cadrait pas avec
100 l'image que je me faisais de la France, depuis la Tunisie. Je n'avais pas le souvenir qu'on pratiquait de même à Sidi Bouzid : d'ailleurs on y était trop pauvre pour jeter quoi que ce soit qui aurait encore pu servir. J'ouvrais la porte de l'Oasis lorsque le ronronnement d'un moteur
105 m'avait obligé à tourner la tête. Le TMax chevauché par Frédéric venait de s'immobiliser au bord du trottoir. La voix de mon ancien logeur avait vibré dans la bulle de Plexiglas[1] teinté.

– Tu es un drôle de petit cachotier, Skander. Le pro-
110 blème, c'est que tu ne te méfies pas assez. On dirait que c'est coquet[2] là où tu crèches[3]... Parc boisé, terrasse... On ne se refuse rien ! Tu me fais visiter ?

Il était descendu de sa bécane et s'était dirigé vers la grille.

– Ce n'est pas possible. Je suis chez des gens qui m'ont fait
115 confiance... Je ne veux pas leur causer d'ennuis. Ils doivent partir d'ici une heure. Reviens à ce moment-là et on verra...

Il avait plongé sa main gantée dans le sac noir pour prendre une des deux canettes de bière japonaise.

– Tu penses toujours à tout : merci de m'offrir à boire
120 pour patienter...

J'avais attendu qu'il s'éloigne avant de traverser le jardin. Quand j'étais entré dans le chalet, Axelle avait détourné les yeux de ses formulaires.

1. **La bulle de Plexiglas :** le casque de protection.
2. **Coquet :** joli.
3. **Tu crèches :** tu habites, en argot.

– Avec qui tu parlais ?

125 Je m'étais aussitôt mis à débarrasser un coin de table pour disposer les boîtes contenant les éléments du repas.

– Personne... Un type perdu dans le quartier qui cherchait son chemin... Je n'ai pris qu'une bière, il va falloir partager.

130 Elle s'était alors levée afin de préparer le mélange de wasabi et de sauce au soja, avant de me montrer comment on disposait les baguettes de bois entre les doigts. Je lui avais abandonné ma main droite.

– Le truc, c'est qu'une seule des deux est mobile... 135 L'autre, tu dois la bloquer dans le creux du pouce et de l'index... C'est la première, celle du dessus que tu remues avec l'index et le majeur... Elle sert de pince. Tu comprends ?

J'avais réussi à saisir un sushi au saumon, mais il était 140 tombé quand je l'avais approché de la coupelle[1] de sauce brune. Impossible de le repêcher. Je m'en étais sorti en le piquant, comme on le fait avec les brochettes, sous le regard amusé d'Axelle.

– Qu'est-ce que tu en penses ?

145 – C'est bon... Ce que je n'aime pas dans le poisson, c'est les arêtes.

Je l'avais accompagnée jusqu'à la station de bus de la mairie délimitée par les barrières métalliques du chantier du métro. Frédéric m'attendait devant la grille, à mon 150 retour, le scooter posé contre le muret. Il m'avait suivi dans l'allée qui mène au chalet en poussant son engin.

---

1. **Coupelle :** petite coupe.

– Elle est drôlement mignonne ta copine. Tu aurais pu me présenter...

Je m'étais retourné d'un coup.

155 – Écoute Frédéric : ces gens-là ne vivent pas dans le même monde que nous. Ils donnent au lieu de prendre. Ils s'occupent de mômes, de familles, ils essaient que tout aille mieux autour d'eux... Ils m'ont ramassé et m'ont remis debout. Je ne sais pas si ça peut marcher à long 160 terme, mais au moins ils tentent le coup... Il faut les laisser tranquilles, d'accord ? Je ne veux pas qu'il leur arrive quoi que ce soit à cause de moi.

Il ne m'avait pas répondu, préférant faire le tour de l'Oasis en silence. Je l'avais observé tandis qu'il longeait 165 les massifs, qu'il inspectait l'intérieur de la serre, qu'il arpentait les cheminements menant à la tonnelle, à la pergola. Il était revenu se planter face à moi.

– Je suis passé cent fois dans cette rue. Je ne me serais jamais imaginé ce qui se cachait ici. C'est incroyable ! 170 On se croirait en province, à la campagne, pas en plein centre de Courvilliers. Et puisque tu fais dans l'écolo[1], je vais te proposer un marché dans ta partie : l'herbe, la végétation...

– Parle clairement... Où tu veux en venir ?

175 – Ne sois pas si nerveux, Skander. Je me sens bien ici, c'est un endroit calme, apaisant, discret. Je me vois bien le transformer en lieu de distribution... On ferait exploser le compteur[2].

1. **Écolo :** abréviation pour « écologie ».
2. **On ferait exploser le compteur :** ça rapporterait beaucoup (en vendant de l'herbe, de la drogue).

J'avais serré les poings, mordu mes lèvres pour me
180 retenir de l'injurier.

– Qu'est-ce que tu veux que je fasse ?

En guise de réponse, il avait ouvert le coffre du scooter, en avait extrait ce que Nordine et lui appelaient une valise marocaine : trois pains de résine de cannabis d'un kilo
185 chacun enveloppés dans un film de plastique épais dont une extrémité était torsadée[1] en forme de poignée.

– On a besoin d'une nourrice[2] pour garder le petit. Ici, c'est l'endroit rêvé, de l'herbe parmi les herbes... Personne n'aura l'idée d'y mettre son nez. Tu n'as rien à
190 faire, seulement planquer la marchandise dans ta jungle. On te passera un coup de fil de temps en temps quand un de nos débitants aura besoin de regarnir son stock. Je t'indiquerai le moment où il se pointera, le signe de reconnaissance, la quantité à lui remettre... Dès que la
195 valise sera vide, je viendrai en personne t'en apporter une autre avec ta part. Et ainsi de suite... C'est dans tes cordes, non ?

Je n'avais pas le choix, je les connaissais assez pour savoir de quoi ils étaient capables. La seule possibilité qui
200 s'offrait à moi consistait à négocier le moment des rendez-vous avec le demi-grossiste, afin qu'il ne vienne jamais lors des séances avec les enfants, et qu'il ne croise ni Romaric ni Axelle. J'en étais réduit à tenter de les protéger du danger que je faisais peser sur eux ! Il m'avait refilé un portable,
205 pour la liaison. Après le départ de Frédéric, je m'étais

1. **Torsadée :** roulée en spirale.
2. **Nourrice :** ici, terme utilisé par les dealers pour désigner toute personne stockant discrètement chez elle de la drogue.

mis à la recherche d'un endroit facilement accessible et pratique pour dissimuler les plaquettes de haschisch. J'avais pensé tout d'abord creuser un trou à l'arrière du chalet, un coin d'ombre où rien ne poussait, mais il aurait
210 fallu disposer d'une boîte étanche et résistante qui me faisait défaut. La serre tout comme la remise à outils, de construction légère, ne permettaient pas de dissimuler quoi que ce soit. En désespoir de cause, je m'étais rabattu sur le bungalow, bien que ce soit un endroit de partage
215 où nous passions beaucoup de temps ensemble. J'avais fini par découvrir qu'une des planches basses du meuble placé sous l'évier était amovible, et qu'en la soulevant je pouvais glisser la valise marocaine sous la partie fixe. Il me suffirait, pour y accéder, de déplacer une dizaine de
220 flacons de produits d'entretien, une bassine et quelques serpillières[1].

1. **Serpillières :** grosses toiles à laver.

Mauvaise récolte

La semaine suivante, je m'étais consacré à l'entretien du bassin. Du matin au soir. J'avais passé deux jours entiers à drainer[1] le fond, à le garnir de petits galets, à réparer les joints, à filtrer l'eau, à couper les rhizomes[2] anciens des nénuphars, à confiner[3] les racines des pins aquatiques[4], ceux qu'on surnomme « queues de cheval », dans des paniers immergés pour éviter leur prolifération. Je m'étais également occupé des berges en y disposant des iris d'eau qui donneraient des fleurs d'un bleu violacé au début de l'été, ainsi que des lotus géants à pétales roses. J'avais terminé en installant un rideau de massette, une plante de la famille du roseau dont le feuillage sombre se strie[5] de blanc lors des fortes chaleurs. Axelle m'avait plusieurs fois proposé de sortir de l'Oasis pour aller voir un film, assister à un spectacle dans la salle du centre-ville, manger un morceau à une terrasse. J'avais toujours trouvé une excuse pour ne pas m'absenter du jardin, de peur que Nordine, Frédéric ou l'un de leurs employés ne se présentent à la grille de l'Oasis. Je voulais dominer la situation, maîtriser l'offensive des dealers et cela impliquait d'être présent à tout moment. Je me justifiais

1. **Drainer :** assécher pour assainir.
2. **Rhizomes :** tiges de plantes, difficiles à arracher.
3. **Confiner :** enfermer dans un endroit clos et limité.
4. **Pins aquatiques :** plantes poussant dans l'eau, dont le feuillage ressemble à celui des pins (d'où leur nom).
5. **Se strie :** se raye.

en expliquant à Axelle que les contrôles policiers se faisaient de plus en plus nombreux, qu'il ne se passait pas un jour sans qu'un député ou un ministre, à la radio, 25 à la télévision, ne se réjouisse de l'augmentation du nombre d'étrangers en situation irrégulière expulsés du territoire français…

– Tu prêches une convaincue, Skander… Mais on ne vit tout de même pas sous occupation militaire. Pas encore, 30 il y a un peu de marge. La dernière fois où un flic m'a demandé mes papiers dans la rue, ça remonte à plus de trois ans…

– C'est quand tu n'en as pas qu'ils te repèrent…

– Il y a des endroits à éviter, comme le quartier Villette, 35 le carrefour des Quatre-Chemins, là où ça trafique un maximum… Mais dans un rayon de cinq cents mètres autour de la mairie c'est vraiment calme, il n'y a pas de danger…

Je m'étais laissé amadouer[1] et je l'avais accompagnée, 40 le dimanche de Pâques, à un récital de gospel[2] donné, en soirée, dans le chœur de l'église Notre-Dame-des-Vertus. C'était la première fois que je pénétrais dans un lieu consacré à l'exercice d'une religion autre que la mienne. Ce qui m'avait le plus surpris c'était que des fidèles, hommes 45 et femmes mêlés, chantaient, dansaient, frappaient dans leurs mains[3] dans un endroit que j'imaginais uniquement

1. **Amadouer :** convaincre gentiment.
2. **Gospel :** chant religieux des Noirs d'Amérique du Nord (appelé aussi negro spiritual).
3. Cette description montre qu'il s'agit d'une cérémonie religieuse dite évangélique.

réservé à la prière. Je m'étais laissé prendre par l'ambiance, le rythme, joignant ma voix à celles des chanteurs :

Ils ont pillé, ils ont brûlé
50 *Let my people go*[1]
Et massacré nos derniers-nés
Let my people go
Les soldats nous ont enchaînés
Let my people go
55 *Les planteurs nous ont achetés*
Let my people go...

Nous avions mangé un chawarma[2] poulet et du caviar d'aubergines[3] au *Beyrouth*, le restaurant libanais de l'impasse, avant de nous séparer devant la station de bus.
60 Quand j'avais voulu l'embrasser, la musique encore en tête, mes lèvres avaient rencontré sa joue. J'étais rentré à l'Oasis le cœur lourd, incapable de trouver le moyen de m'extraire de la situation dans laquelle les événements m'avaient précipité. Les minutes qui suivaient allaient
65 me réserver d'autres déconvenues[4]. J'étais à peine installé dans le chalet que le téléphone s'était mis à sonner. J'avais immédiatement reconnu la voix de Frédéric.

---

1. ***Let my people go* :** « Laisse mon peuple partir », paroles d'une célèbre chanson de la population noire des États-Unis quand elle était réduite à l'esclavage.
2. **Chawarma :** plat culinaire oriental.
3. **Caviar d'aubergines :** fin hachis d'aubergines assaisonné à l'huile d'olive.
4. **Déconvenues :** déceptions.

– Qu'est-ce qui se passe ? Je commençais à me faire du souci. Ça fait trois fois que j'appelle...

70 – J'étais sorti...

– Et alors ? C'est un portable que je t'ai passé, pas un fixe... La prochaine fois, tu le mets dans ta poche, je n'ai pas que ça à faire, je ne bosse pas chez SFR. Je t'envoie un client d'ici dix minutes. Il a besoin d'une demi-plaque. Il 75 se pointera à la grille du jardin et te demandera si tu as des nouvelles du cousin de Sidi Bouzid...

Il avait coupé la communication avant que j'aie eu le temps de lui répondre. J'avais vidé le placard de la cuisine pour récupérer la valise marocaine, puis séparé un bloc 80 d'un kilo en deux, pour envelopper l'une des moitiés dans un journal. Amchiche m'avait suivi dans le jardin en miaulant quand j'étais allé vers la porte. Le type appuyé contre le montant ne m'était pas inconnu. J'avais dû le croiser quand je faisais le guet près du tunnel, la semaine 85 qui avait suivi mon arrivée à Courvilliers. Aucune envie qu'il sache à qui il avait affaire : j'étais resté dans l'ombre, la capuche de mon sweat-shirt[1] sur la tête. Il avait prononcé sa phrase à la manière d'un acteur fatigué d'une mauvaise série télévisée :

90 – Salut mec, tu as reçu le colis du cousin de Sidi Bouzid ?

En échange, sans même ouvrir, je lui avais remis les cinq cents grammes de résine puis j'étais allé me coucher. Petit à petit, Romaric s'était mis lui aussi à marquer la distance. Le doute s'était installé même si j'étais certain 95 qu'il ne reposait encore sur rien de vraiment concret.

---

1. **Sweat-shirt :** mot anglais désignant un pull-over en tissu molletonné, avec ou sans capuche.

La complicité s'était comme évaporée. Il n'évoquait plus dans nos rares conversations l'éventualité que ce sportif médaillé de Londres m'accepte comme filleul[1]. Il s'en tenait aux utilités, aux phrases toutes faites nécessitées par le
100 travail en commun. Tailler les haies de thuyas[2], tondre le premier gazon, traiter les arbres fruitiers, supprimer les drageons[3] des lilas, disposer des appâts[4] contre les limaces dans les massifs, pulvériser de la bouillie bordelaise dès les premières attaques de rouille, d'oïdium[5]... C'était bien
105 plus compliqué avec Axelle. Chaque minute hors de sa présence m'était une torture et chaque minute avec elle prolongeait le supplice. Quand il se posait sur moi, son regard ne brillait plus de la même flamme, les baisers que je lui volais n'avaient plus la même fougue, sa main fuyait
110 dans la mienne comme une poignée de sable. Il me fallait un peu de temps pour me dépêtrer[6] du problème dans lequel je m'étais englué. Je savais que je finirais bien par trouver une issue mais, en attendant, les jours d'incertitude rongeaient notre relation aussi sûrement qu'une goutte
115 d'acide corrompt un métal qu'on pensait invulnérable. L'idée de tout lui avouer me traversait l'esprit... Je la repoussais dans le même mouvement. Ce à quoi je tenais le plus au monde était menacé à très court terme, et je

---

1. **Filleul :** ici, personne à qui le parrain républicain apporte son aide.
2. **Thuyas :** arbres de la variété des conifères.
3. **Drageons :** petites pousses nées sur une racine, appelées aussi surgeons.
4. **Appâts :** pâture servant à attirer des animaux, des insectes ou des mollusques terrestres (ici des limaces) pour les prendre.
5. **Oïdium :** champignon qui s'attaque particulièrement à la vigne.
6. **Me dépêtrer :** me sortir.

craignais d'accélérer le cours de l'histoire en révélant ce qui me pesait sur les épaules à ceux qui m'avaient aussi généreusement accueilli. Bien entendu, la catastrophe avait fini par survenir, à la fin du mois d'avril alors que le muguet et le lilas entraient en concurrence pour savoir lequel offrirait ses fleurs en premier. Frédéric m'avait téléphoné alors qu'un conteur mélanésien[1] retenait un auditoire de cinquante enfants en haleine. Il finissait de leur raconter l'histoire d'un serpent de mer géant, terreur d'un archipel, tout en dessinant la légende dans le sable blanc répandu à ses pieds. La fine baguette qu'il tenait traçait sur le sol les lignes symétriques[2] d'une sorte de tatouage minéral d'une beauté sidérante. Je m'étais éloigné, le portable collé à l'oreille, suivi par le regard noir d'Axelle.

– Je t'avais demandé de ne jamais essayer de me joindre dans l'après-midi... Je suis en plein boulot...

– Moi aussi mon frère... Désolé. Tu crois que je fais ça pour le plaisir ? Nordine et moi, on est pris à la gorge, on a un besoin urgent de colmater[3] une fuite de première. On n'a trouvé qu'un numéro de plombier dans le répertoire : le tien ! Il nous faut une plaque entière pour la soudure[4]. Toute une plaque. Compris ? Le coursier passera d'ici vingt minutes. Il te demandera si les roses sentent toujours aussi bon...

J'avais trouvé Romaric sur mon chemin quand je m'étais dirigé vers le bungalow.

– Ça n'a pas l'air d'aller, Skander... Tu as des ennuis ?

1. **Mélanésien :** originaire de Mélanésie, un ensemble d'îles du Pacifique.
2. **Symétriques :** régulières, semblables et opposées.
3. **Colmater :** ici, dans le sens de « faire face à une urgence ».
4. **Soudure :** ici, dans le sens de « dépannage transitoire ».

– Non, il faut que j'aille aux toilettes… Sûrement un truc que j'ai mal digéré.

Je m'étais assuré que personne ne rôdait autour du chalet avant d'entrer dans la cuisine minuscule et de déménager les produits d'entretien. Une goutte sans cesse renouvelée tombait du siphon vraisemblablement engorgé par des saletés, et l'eau avait fini par faire gonfler le bois aggloméré dans lequel la planche du fond avait été fabriquée. Impossible de la soulever du bout des doigts comme précédemment. Après m'être cassé deux ongles, je m'étais relevé pour prendre dans le tiroir un couteau dont la lame me servirait de levier. Le plastique d'emballage n'était que légèrement humide, mais la marchandise n'avait pas souffert de l'écoulement. Toujours agenouillé, j'avais décollé une brique de haschisch que j'avais posée à ma droite tandis que je remettais tout en place. Quand je m'étais relevé, la pointe d'une chaussure, celle d'Axelle, se découpait sur le rectangle de résine marocaine. J'avais mis à profit le moment où je me mettais debout pour emplir mes poumons et trouver le courage de me retourner, de lui faire face. J'avais lu une infinie tristesse dans son regard. Romaric se tenait derrière elle. Rien ne pouvait me faire plus mal que la grimace de mépris imprimée sur ses traits.

– Je vais vous expliquer…

Il avait ricané.

– Qu'est-ce que tu veux expliquer ? Tu vas nous dire que tu croyais que c'était des tablettes de chocolat ? Tu te rends compte de ce que tu as fait ? On a mis des années à monter ce projet, à gagner la confiance des parents, des enseignants, des institutions… Ils nous regardent tous

avec une loupe en se disant que c'est trop beau pour être vrai, que ça ne peut pas durer... On se bat, on ne lâche rien... On te fait rentrer sans te poser de questions, on
180 t'héberge, on s'occupe de ton avenir et voilà le remerciement... Tu nous remets dans l'image qu'on se fait de nous : des trafiquants, des profiteurs... Tu me dégoûtes. Je ne veux plus te voir. Tire-toi avec ta merde en barre !

J'étais anéanti. Axelle s'était portée à mon secours.

185 – Moi aussi je suis effroyablement déçue, Skander... Je savais depuis plusieurs semaines que quelque chose ne tournait pas rond. Je n'aurais jamais pu imaginer que tu transformerais notre Oasis en réserve de came ! Le problème, c'est que j'ai la preuve sous les yeux et que je
190 n'arrive pourtant pas à y croire ! Qu'est-ce que tu cherchais exactement ? Le fric ?

– Non, je ne touche rien... Pas un euro...

– Pourquoi tu fais ça alors ?

Je m'étais appuyé au rebord de l'évier pour maîtriser
195 le tremblement qui commençait à agiter mes jambes, puis je m'étais mis à leur raconter l'enchaînement des événements depuis mon arrivée à Courvilliers. Le rendez-vous manqué avec mon cousin, les nuits dans le garage abandonné, la première rencontre avec Frédéric, la cave
200 du métro Quatre-Chemins, la surveillance au débouché du tunnel, l'attaque du bureau de monsieur Whong, l'accident avec la voiture de police, ma fuite éperdue le long du canal, sur le viaduc du chemin de fer, le refuge inespéré dans les broussailles de l'Oasis, la nouvelle ren-
205 contre avec Frédéric alors que j'allais acheter des sushis dans le quartier du grand stade...

– Ils me tiennent. Je suis coincé, je ne sais plus comment m'en sortir…

Axelle avait alors pris la direction des opérations. 210 À sa demande, j'avais sorti de la planque le kilo et demi de résine restant et placé tout le stock dans un sac.

– Tu sais où on peut les trouver ?

– Oui, c'est là où j'habitais avant…

– Eh bien on y va !

Retour à l'envoyeur

J'avais pris place à l'arrière de la voiture que Romaric conduisait. La chevelure fauve d'Axelle débordait de l'appuie-tête placé devant moi. Nous avions traversé Courvilliers en empruntant l'avenue de la République que 5 ponctuaient les pavillons publicitaires des promoteurs immobiliers dont les publicités rivalisaient de couleurs criardes[1]. La foule devenait de plus en plus compacte, sur les trottoirs, tandis que nous approchions des Quatre-Chemins. Un engin de chantier à la carrosserie 10 jaune grignotait[2] la façade du *Kursaal*, un ancien cinéma dont la cabine technique, éventrée, donnait à voir un antique projecteur équipé d'une impressionnante bobine de film. Plus loin, on avait disposé des barrières métalliques au pied d'un immeuble vétuste[3] dont une 15 cage d'escalier s'était embrasée, un mois plus tôt, tuant trois personnes. De part et d'autre du carrefour, ce n'était que mouvements de groupes, vente sous le manteau, regards inquiets, signes de reconnaissance. Toute une humanité en proie à la précarité tentait de survivre en 20 tutoyant les lois[4] tandis que d'autres se frayaient un chemin dans la masse des vendeurs à la sauvette pour atteindre les escaliers du métro.

---

1. **Criardes :** trop vives.
2. **Grignotait :** démolissait petit à petit.
3. **Vétuste :** très vieux et abîmé.
4. **En tutoyant les lois :** en étant à la limite de la légalité.

– Il faut passer le feu et tourner à gauche devant l'autre cinéma. Ils habitent un peu plus haut. Un groupe de
25 bâtiments auxquels on accède par un porche...

Romaric avait suivi mes indications, et il était venu se garer sur le parking d'un garage spécialisé dans les contrôles automobiles. Avant de descendre, il avait attrapé le sac bourré de shit. Nous nous apprêtions à le suivre
30 jusqu'à l'immeuble quand le TMax avait fait irruption à pleine vitesse depuis l'impasse. J'avais reconnu la silhouette de Frédéric à l'avant, et celle plus massive de Nordine sur le siège passager.

– Les voilà ! C'est eux...

35 Romaric nous avait fait signe de reprendre nos places dans la voiture avant de démarrer brusquement pour prendre le scooter en chasse. Il se tenait à distance pour ne pas se faire repérer, laissant même des voitures s'intercaler aux feux rouges pour ne pas coller à ceux
40 que nous poursuivions. Ils étaient passés devant l'église Saint-Joseph avant de traverser la nationale et s'enfoncer dans le quartier pavillonnaire[1] de Courvilliers qui faisait face au cimetière de Pantin. Cinq minutes plus tard, ils contournaient le centre-ville et fonçaient sur le canal en
45 slalomant entre les innombrables chantiers générés par le percement du métro. Ils s'étaient arrêtés, comme en embuscade, sur la bosse qui prolonge le pont de Stains[2] et qui permet de dominer une grande partie du secteur des entrepôts chinois. Axelle avait alors indiqué une
50 place de stationnement à Romaric, derrière un camion

1. **Quartier pavillonnaire :** quartier qui ne comprend que des pavillons.
2. **Stains :** ville de Seine-Saint-Denis.

de livraison qui nous dissimulerait à leur attention tout en nous permettant de continuer à les surveiller. Elle s'était tournée vers moi.

– Qu'est-ce qu'ils attendent à ton avis ?

55 – Je n'en sais rien, mais j'ai l'impression qu'ils préparent quelque chose. Frédéric n'a pas coupé les gaz. Il se tient prêt...

Tandis que je terminais tout juste ma phrase, le TMax avait fait un bond pour venir se glisser dans le sillage 60 d'une grosse Audi Q7 immatriculée en Allemagne qui filait vers la rue où monsieur Whong ainsi que les autres entrepreneurs avaient leurs bureaux. Romaric avait réagi à la seconde.

– Je crois que cette fois, c'est parti...

65 Le scooter avait réglé sa vitesse sur celle de la voiture cible, à vingt mètres de distance, et nous faisions de même cinquante mètres plus loin. Tout s'était accéléré à la hauteur des feux tricolores qui règlent la circulation près de l'entrée des ateliers de maintenance des bus de la RATP. 70 Frédéric était venu se coller à droite de la carrosserie pour permettre à Nordine de briser la fenêtre avant de l'Audi au moyen d'un marteau. Il s'était aussitôt après plié en deux, sans quitter son siège, pour saisir une mallette vraisemblablement posée sur la banquette côté passager. 75 Le TMax était parti à fond sur la gauche, dans la rue la plus étroite avant de tourner à gauche vers la zone industrielle. Le conducteur du Q7 n'avait pas tardé à réagir, passant en force entre deux voitures, sans épargner les carrosseries. Il avait poussé les premières vitesses à leur 80 extrême limite, tout comme Romaric, comblant l'écart avec les deux voleurs. C'est Axelle qui avait hurlé la première.

– Non !

Durant la même fraction de seconde, j'avais réalisé qu'une benne à ordures arrivant de notre droite venait de
85 s'engager au milieu du carrefour, conduite par un employé assuré de son bon droit. Il avait pilé en comprenant que le scooter allait trop vite pour s'arrêter. Au lieu d'accélérer. Le camion obstruait maintenant les trois quarts du passage. Frédéric avait tenté d'infléchir sa trajectoire vers
90 le trottoir pour l'éviter, ne réussissant qu'à faire déraper son engin qui était venu s'encastrer dans la tôle épaisse de la benne. Dans un crissement de freins désespéré, l'Audi était également venue se fracasser sur l'arrière du camion. Seul Romaric était parvenu à garder, in extremis,
95 le contrôle de sa voiture dont les roues étaient venues buter contre le trottoir. Nous nous étions précipités vers l'impact. Frédéric ne remuait plus. Une mare de sang s'élargissait sur les pavés, au niveau de son cou. Nordine gémissait, à demi enfoncé sous le capot du camion. Ses
100 jambes faisaient un drôle de dessin, comme celles d'un pantin désarticulé. Le pilote de l'Audi gisait la tête baissée contre sa poitrine, retenu par sa ceinture de sécurité, le visage constellé d'éclats de verre. À notre approche, il avait agité la main, façon de signifier que ce n'était pas brillant
105 mais que ça allait quand même. Axelle s'était baissée pour ramasser la mallette dont une déchirure laissait entrevoir des liasses de billets. Elle l'avait déposée près du blessé qui était parvenu, en guise de remerciement, à composer un sourire douloureux. Dans le lointain, on entendait
110 déjà les notes déchirantes des sirènes d'ambulances, de voitures de police… J'avais ouvert la portière de la voiture de Romaric pour récupérer le sac contenant les plaques

de résine. Un peu plus loin, les ouvriers d'un chantier de construction avaient interrompu leur travail, curieux
115 de s'approcher du lieu du drame. Un camion toupie[1] déversait des tonnes de béton sur les grillages d'une dalle de plusieurs dizaines de mètres de côté. Je m'étais avancé au plus près du jet de matière et j'avais balancé le sac dans le ciment liquide qui l'avait immédiatement absorbé.
120 Avant de tourner les talons, j'avais regardé le panneau : « Construction de l'École des hautes études en sciences sociales, EHESS[2]. »

Le lendemain, le journal consacrait la page d'ouverture de son édition régionale à la tentative tragique de hold-
125 up du pont de Stains. On y expliquait qu'un grossiste allemand, qui venait passer une commande de chaussures chinoises en provenance de Wenzhou via Le Havre, avait été attaqué à Courvilliers, selon la technique du car-jacking[3], et que ses deux agresseurs avaient percuté un
130 camion au cours de leur fuite. Le premier, Frédéric B., était mort lors du choc, tandis que son complice, Nordine M., avait dû être amputé des deux jambes. Le négociant, protégé par une batterie d'airbags[4], ne souffrait, lui, que de légères contusions.

---

1. **Camion toupie :** camion dont la benne arrondie tourne sur elle-même (d'où le nom de « toupie ») pour malaxer le béton.
2. **EHESS :** prestigieux établissement universitaire spécialisé dans l'analyse des faits sociaux.
3. **Car-jacking :** vol de voiture.
4. **Airbags :** coussins gonflables protégeant les occupants d'une voiture en cas d'accident.

Épilogue[1]

Cela fait maintenant près de deux ans que j'arpente les rues de Courvilliers. Moi qui cherchais un parrain, je suis devenu celui de la fille de Romaric qui a trouvé ses papiers dans son berceau[2]. On m'a refusé le statut de réfugié politique, mais Axelle m'aide à remplir dossier sur dossier. Je ne désespère pas de ne plus avoir besoin de raser les murs. Nous habitons ensemble, depuis un mois maintenant, dans un petit appartement dont les fenêtres ouvrent sur le canal. Je regarde souvent les péniches, j'aime bien l'idée de vivre en bougeant sans cesse, cela me rappelle qu'enfant je voulais être marin. Je m'occupe toujours de l'Oasis, je prends même la parole devant des classes venues de la ville ou de celles qui l'entourent. Des fleurs, des arbres me doivent la vie. Tout à l'heure, Romaric doit nous emmener à l'hôpital de Garges-lès-Gonesse[3], Axelle et moi. La justice a considéré que Nordine avait payé sa dette au prix de son handicap. On a besoin d'un gardien de nuit au jardin. J'ai supprimé les marches du chalet et aménagé une rampe, pour le fauteuil roulant de Nordine. Et solidement cloué la planche, sous l'évier.

1. **Épilogue :** dénouement, fin.
2. **A trouvé ses papiers dans son berceau :** a eu ses papiers officiels dès sa naissance.
3. **Garges-lès-Gonesse :** ville de la banlieue nord de Paris.

POUR APPROFONDIR

POUR APPROFONDIR

Clefs de lecture

Séquence 1 (pp. 13-19)

Action et personnages

1. Qui est le narrateur ? De quel pays est-il originaire ? Comment s'appelle-t-il ? Quel âge a-t-il ?
2. Pourquoi est-il contraint de quitter son pays ?
3. Quelle est la destination finale de son voyage ? Pourquoi ?
4. Comment se déroule son voyage ?

Langue

5. Quels sont les temps de l'indicatif les plus fréquemment employés ?
6. Repérez et analysez deux propositions subordonnées relatives.
7. Repérez au moins deux façons différentes d'exprimer le temps.
8. Dans la phrase : « J'étais terrifié, incapable de chasser ces images… », donnez la nature et la fonction de « incapable ».

Genre ou thèmes

9. Comment appelle-t-on un récit écrit à la première personne du singulier (« je ») ?
10. De quelle façon l'auteur rend-il son récit vraisemblable ?
11. Reconstituez le périple du narrateur.
12. Quelle est la part de satire sociale ?

À retenir

On appelle narrateur (ou narratrice) celui (ou celle) qui assume la charge d'un récit. Il ne se confond pas obligatoirement avec l'auteur. **Auteur** et **narrateur** ne sont identiques que dans le cas d'une véritable autobiographie. Dans tous les cas, il convient de se poser ces questions : qui parle ? Est-ce un personnage ? Un narrateur invisible, mais omniscient (qui sait tout ou paraît tout savoir) ? Il n'y a jamais de réponse automatique.

Clefs de lecture

Séquence 2 (pp. 20-50)

Action et personnages

1. Pourquoi le narrateur se retrouve-t-il à Courvilliers ?
2. Qui sont Frédéric et Nordine ?
3. Qui sont Romaric et Axelle ?
4. De quoi le narrateur se rend-il complice ?

Langue

5. Comment comprenez-vous l'expression : « marché aux esclaves » (p. 22, l. 58) ?
6. « C'est pas compliqué » (p. 28, l. 38) : pourquoi cette manière de s'exprimer n'est-elle pas grammaticalement correcte ?
7. Analysez grammaticalement l'expression : « En me débattant pour m'en sortir » (p. 43, l. 47).
8. Relevez au moins deux verbes employés au mode conditionnel.

Écriture

9. « J'avais senti les larmes prêtes à couler » (p. 20, l. 16), dit Skander au soir de son arrivée à Courvilliers. Imaginez ses pensées.
10. « Je sais aujourd'hui que c'est à ce moment-là que j'aurais dû dire non » (p. 26, l. 169). Expliquez pourquoi il a dit oui.
11. Rédigez la lettre que Skander pourrait écrire à sa sœur aînée, Anissa.

À retenir

Est **vrai** ce qui est conforme à la réalité observée, étudiée, dûment établie. Est **vraisemblable** en revanche ce qui n'est pas vrai, mais qui en a l'apparence. C'est un « vrai » possible. En littérature, comme dans un film ou une bande dessinée, le vraisemblable confère une certaine crédibilité à l'œuvre.

Clefs de lecture

Séquence 3 (pp. 51-64)

Pour approfondir

Action et personnages

1. Qu'est-ce que l'Oasis ? Qui l'a créée ? Qui s'en occupe ?
2. Qu'est-ce que cette Oasis a véritablement d'extraordinaire ?
3. Qu'y fait Skander ? En quoi son travail est-il en rapport avec sa scolarité tunisienne ?
4. Pourquoi Skander ment-il à ses bienfaiteurs et amis ?

Langue

5. Pourquoi certains passages de ces chapitres sont-ils imprimés en *italique* ?
6. Relevez des exemples d'emploi d'un adjectif qualificatif au comparatif et au superlatif.
7. Quels sont les principaux champs lexicaux présents dans le chapitre intitulé « Toute une histoire » ? Pourquoi ?
8. Relevez trois façons différentes d'exprimer l'interrogation directe.

Genre

9. En sachant que l'utopie désigne la description qu'un auteur fait d'une société idéale, en quoi l'Oasis est-elle une utopie ?
10. Quel effet produit la multiplicité des références géographiques et culinaires ?
11. Relevez les passages qui dénoncent directement ou indirectement le racisme.

À retenir

Les **dialogues** rendent un récit plus vivant. Ils remplissent plusieurs fonctions : ils délivrent des informations ; ils expriment les sentiments des interlocuteurs ; enfin, ils dévoilent les personnages. La manière dont on s'exprime, le niveau de langue qu'on privilégie et la richesse du vocabulaire définissent en effet qui on est.

Séquence 4 (pp. 65-81)

Action et personnages

1. En quoi l'histoire de Romaric est-elle différente de celle de Skander ? En quoi est-elle aussi semblable ?
2. Quels différents métiers a-t-il exercés avant de venir à l'Oasis ?
3. Pourquoi Axelle est-elle à l'Oasis ?
4. Pourquoi Skander est-il soulagé que Romaric ne soit pas marié avec Axelle ?

Langue

5. Relevez trois manières différentes de traduire l'interrogation indirecte.
6. Relevez deux verbes employés à la voix passive avec leurs compléments d'agent.
7. « Ça ne collait pas » : donnez la nature et la fonction de « ça ».
8. Comment comprenez-vous la phrase suivante : « Ils [les gens] ont droit à la ruine, à l'usure du temps » (p. 78, l. 107) ?

Genre

9. Relevez les passages qui constituent une critique de la société.
10. Romaric dit avoir été protégé par les « papiers du ministre de l'Intérieur » : en quoi cette situation est-elle comique ?
11. Quelle méprise commet Skander ?

À retenir

À l'origine, une satire est un poème dans lequel un écrivain tourne en ridicule ses contemporains (par exemple *Les Satires* de Nicolas Boileau, 1666). Peu à peu, le genre s'est illustré à travers la prose. Son ton peut être comique ou violent. Aujourd'hui, on appelle satire toute critique d'une personne ou des mœurs d'une société.

Clefs de lecture

Séquence 5 (pp. 82-99)

Action et personnages

1. Qu'est-ce que Frédéric demande à Skander de faire ? Pourquoi ?
2. Pourquoi Skander accepte-t-il ce que pourtant il réprouve ?
3. Comment les relations entre Skander, Romaric et Axelle se dégradent-elles ?
4. Quel rapport peut-on établir entre le spiritual chanté dans l'église et la situation de Skander et des clandestins d'une manière générale ?

Langue

5. Repérez deux manières différentes d'exprimer le lieu.
6. « Je suis content qu'ils ne vous aient pas eus » (p. 84, l. 69) : analysez et justifiez la forme verbale « aient ».
7. Comment comprenez-vous la phrase suivante : « Chaque minute hors de sa présence [celle d'Axelle] m'était une torture et chaque minute avec elle prolongeait le supplice » (p. 95, l. 105) ?
8. Analysez la phrase suivante : « Il me fallait un peu de temps pour me dépêtrer du problème dans lequel je m'étais englué. »

Écriture

9. Dites ce que vous pensez du personnage de Frédéric.
10. « L'idée de tout lui avouer me traversait l'esprit… Je la repoussais dans le même mouvement » (p. 95, l. 116) : décrivez plus en détail l'état d'esprit de Skander.
11. Imaginez les réactions de Frédéric découvrant que Skander ne répond pas à ses appels.

À retenir

On appelle dilemme une situation dans laquelle on est obligé de choisir entre deux possibilités qui présentent toutes deux des inconvénients. De là vient la difficulté de sortir d'un dilemme. C'est ce que veut dire Skander quand il se dit « coincé » : ne pas obéir à Nordine, c'est risquer des représailles ; lui obéir, c'est risquer de tout détruire.

Clefs de lecture

Séquence 6 (pp. 100-105)

Action et personnages

1. Que comptent faire Skander, Romaric et Axelle en se lançant sur les traces de Nordine et de Frédéric ?
2. En définitive, quel événement sauve Skander ?
3. Que devient la drogue ? Pourquoi disparaît-elle de cette façon ?
4. Que devient Nordine ?
5. Comment s'annonce l'avenir de Skander ?

Langue

6. « Ce n'était que mouvements de groupes » (p. 100, l. 16) : quelle est la fonction du groupe nominal « mouvements de groupes » ?
7. Repérez trois façons différentes d'exprimer la manière.
8. « On y expliquait » (p. 104, l. 125) : quelles sont la nature et la fonction de « y » ?
9. « Moi qui cherchais » (p. 105, l. 2) : expliquez l'accord du verbe.

Écriture

10. Imaginez les pensées de Nordine condamné à vivre à l'Oasis le restant de ses jours dans un fauteuil roulant.
11. Décrivez l'arrivée des secours sur les lieux de l'accident.
12. « La justice a considéré que Nordine avait payé sa dette au prix de son handicap » (p. 105, l. 16) : rédigez la plaidoirie de son avocat.

À retenir

Dans un récit, l'épilogue correspond à la fin de l'intrigue. Mais cette fin ne correspond pas obligatoirement à la fin de la vie des héros. C'est même bien souvent le contraire. Ici, l'épilogue s'ouvre sur une perspective d'avenir pour Skander et Axelle. La fin peut donc être un commencement, le début d'une nouvelle histoire.

Genre, action, personnages

Genre et registres

Un récit autobiographique imaginaire

Un récit est une narration d'événements relativement brève, par opposition au roman, en principe plus long. Cette narration est assumée par un narrateur, présent ou invisible, censé rapporter l'histoire. Ici, celle de Skander est prise en charge par Skander lui-même, qui raconte ce qui lui est arrivé depuis sa fuite précipitée de Tunisie : « Ce n'est pas comme ça que j'imaginais ma vie », déclare-t-il d'emblée. « Cela fait maintenant près de deux ans que j'arpente les rues de Courvilliers », conclut-il.

Ce « je » narrateur donne au récit son aspect autobiographique. L'autobiographie – le mot provient du grec *auto* (« soi-même »), *bio* (« vie ») et *grapho* (« écriture ») – est le récit partiel ou complet de sa propre vie par un auteur. Ce récit autobiographique n'est toutefois pas forcément véridique. Skander est et reste en effet un personnage fictif, un « être de papier », à qui l'auteur confie, délègue la narration. Aussi ne faut-il pas systématiquement confondre le narrateur d'un récit avec l'auteur du livre. C'est en ce sens que l'œuvre est un récit autobiographique imaginaire.

Un récit réaliste

Quoique fictif, ce récit ne s'en appuie pas moins sur des réalités très précises. Les références historiques sont exactes : l'immolation par le feu de Mohammed sur la place de Sidi Bouzid en 2010 déclencha bien une révolution qui aboutit à la chute du régime du dictateur Ben Ali ; l'éclatement de la Yougoslavie, d'où vient Irina, est également un fait avéré. Les indications géographiques tant tunisiennes que françaises sont authentiques. La description des pratiques culturelles, notamment culinaires, et celle des plantes et des arbres qui peuplent l'Oasis procèdent d'une solide documentation.

Surtout, le monde décrit est le reflet de notre époque. Les passeurs qui s'enrichissent du malheur des autres, la délinquance, la drogue, « toute une humanité en proie à la précarité qui tent[e] de survivre » relèvent d'une critique sociale acérée. C'est le monde des sans-papiers des clandestins, des réfugiés, des exploités, des victimes de l'Histoire que l'auteur fait entrer dans l'univers littéraire.

Un récit utopique

L'Oasis concrétise le rêve d'une humanité réconciliée avec elle-même par-delà ses différences. Le racisme en est banni et la solidarité y est de règle. Imaginée par Irina la Yougoslave, aménagée par les habitants du quartier, plantée, fleurie par un Hongrois, un Vietnamien, un Corse, entretenue par un Africain, un Tunisien et une Française, elle est « un jardin sans frontières », qui accueille les gens, les produits et les cultures du monde entier. On y reçoit les enfants des écoles pour leur faire découvrir la nature, les contes et légendes du monde, pour leur apprendre à graver sur des coloquintes.

L'Oasis est un paradis de générosité, de droiture et de pardon. Chacun peut s'y rendre utile, selon ses capacités. Même amputé, même ancien dealer, Nordine y trouve son utilité et sa rédemption. Ce paradis n'est ni perdu ni ailleurs : il est ici et maintenant ; il est en tout cas possible. L'œuvre appartient en ce sens à la catégorie des utopies littéraires qui dessinent un monde meilleur.

Les registres

Les registres sont la traduction des émotions par et dans le langage. On en distingue de plusieurs sortes. Le registre est pathétique quand Skander évoque ses angoisses, sa peur d'être arrêté, ses fatigues, sa faim : « J'étais trop frigorifié, trop fatigué, trop démoralisé pour jouer au plus malin. » Le lecteur comprend, partage ses craintes et ses malheurs. Le tragique s'accentue avec la mort de Frédéric, même s'il est un délinquant, avec aussi l'amputation des deux jambes de Nordine.

À l'inverse, le registre se fait plus souriant quand Romaric raconte comment, alors qu'il était sans papiers d'identité, il a été protégé par « les papiers du ministre de l'Intérieur », dont la politique en matière d'immigration consistait à expulser les sans-papiers ! La description des plantes et légumes appartient au registre bucolique, pastoral. L'œuvre joue enfin sur le registre lyrique, dans la mesure où elle est un hymne à la vie, à l'amour et à la fraternité : « Des fleurs, des arbres me doivent la vie. »

Genre, action, personnages

Les niveaux de langue

La vraisemblance du récit ne tient pas seulement à son réalisme historique, géographique ou sociologique. Elle tient également à la manière dont s'expriment les personnages. Chacun parle selon sa culture et l'éducation qu'il a reçue ou qu'il n'a pas reçue. Les dealers possèdent leur propre vocabulaire : « l'herbe », « le caillou », « la nourrice », « on va faire exploser le compteur », « on s'arrache ». Le « flic martiniquais » s'exprime dans sa propre langue : « *I bon, ou ka fè mwen bat.* » Les fidèles de l'église évangélique chantent un spiritual en anglais. Skander, qui étudiait dans un lycée agricole, et Axelle, qui est la fille d'un jardinier, recourent logiquement au vocabulaire technique de l'agriculture et de l'art floral. Les habitants parlent, quant à eux, une langue simple : « un sportif du coin », « on mange ensemble », « le truc », « c'est dans tes cordes ». À travers le langage, c'est toute une société qui est dépeinte.

Action et personnages

Interrogations et rebondissements

« Le froid, la faim, la peur, la fuite… Ce n'est pas comme ça que j'imaginais ma vie » : dès les premiers mots, notre curiosité s'éveille. Qui parle ? Que s'est-il passé ? Tout va ensuite très vite. Scandalisé par l'injustice, indigné par la répression policière, le narrateur participe à une manifestation, lance une pierre, blesse un policier : le voilà obligé de s'exiler. Angoisses, terreurs et dangers ménagent l'intérêt. À peine parvient-il à Courvilliers que, nouvelle péripétie, le cousin chargé de l'accueillir a été expulsé. Voici Skander sans aide, sans moyens, perdu dans une ville et un pays qu'il ne connaît pas. Comme s'en sortir ? C'est la plongée dans la délinquance : trafic de drogue, attaque à main armée. Dans les deux cas, il n'est certes qu'un comparse. Mais, pour la police et la justice, un comparse s'appelle un complice. Skander est de nouveau contraint de se cacher.

Il échoue par hasard à l'Oasis. L'horizon s'éclaircit enfin pour lui. Le bonheur devient même possible. Il tombe amoureux d'Axelle. La parenthèse est de courte durée. Ses anciens complices le retrouvent, le contraignent à faire de l'Oasis un lieu de stockage de « marchandise ». Refuser, c'est s'exposer à des représailles, accepter c'est mettre l'Oasis en péril. Skander accepte, pensant pouvoir ruser. En vain. Son manège est découvert. Lors d'une course-poursuite, l'un des dealers meurt, l'autre doit être amputé des deux jambes. Skander est sauvé. Même s'il n'a pas encore obtenu ses papiers, l'avenir s'annonce plus clément. L'action rebondit ainsi en permanence, captant et retenant notre attention.

Skander, victime sympathique

Skander est à l'origine un garçon sans histoires : lycéen sérieux, il a une famille, des amis et des rêves. L'Histoire brise sa jeunesse. Il devient un émigré malgré lui. Quoi qu'il fasse, il le fait par nécessité ou pour la bonne cause. Sa participation à un trafic de drogue lui pose des problèmes de conscience. Mais comment survivre autrement ? Il devient délinquant malgré lui. Bon fils, il ment à sa famille sur sa situation réelle, mais c'est pour ne pas inquiéter ses parents. Avec émotion et pudeur, il découvre l'amour auprès d'Axelle. Généreux, il accueille Nordine amputé à l'Oasis, alors qu'il aurait toutes les raisons de lui en vouloir. Son histoire douloureuse est son roman d'éducation. Au début, il n'est qu'un adolescent ; à la fin, il est un homme responsable et solidaire.

Romaric, l'ami africain

Appartenant à la même génération que Skander, Romaric est un émigré économique : la misère et l'absence de toute perspective l'ont poussé à quitter son pays. Chez ce personnage, l'hospitalité et la solidarité sont instinctives, immédiates. Quand il découvre Skander à l'Oasis, il ne le chasse pas, ne lui demande pas ce qu'il fait là, il lui offre un café et à manger. C'est que Romaric a dû lui aussi se cacher. Il sait. L'homme est aussi perspicace qu'intelligent. C'est lui qui a l'idée d'engager Skander, c'est lui qui conduit la voiture pour retrouver Nordine et Frédéric. Marié, bientôt père de famille, Romaric a réussi son insertion à Courvilliers. Il n'en conserve pas moins la nostalgie de son pays natal, le Burkina. Chaque jour vers 16h30, il lève la tête vers l'Airbus qui vient de décoller de Roissy et qui, quelques heures plus tard, atterrira à Ouagadougou.

Axelle, l'amoureuse des jardins

Avec ses « cheveux bouclés aux reflets roux », Axelle est d'abord une tache de couleur, une auréole de lumière. Bien qu'elle soit française et qu'elle ait longtemps vécu à Courvilliers, elle est à sa façon une émigrée elle aussi : c'est une déracinée. La destruction de la barre HLM qu'elle habitait ne l'a pas chassée seulement de son appartement, mais aussi et surtout de son enfance et de ses souvenirs. L'Oasis devient son refuge. Fille de jardinier, plus passionnée par la nature que par des études à l'université, elle y passe ses journées. Entre elle et Skander, le coup de foudre est aussi discret que leur bonheur, aussi simple que les fleurs que tous deux soignent.

Nordine et Frédéric : drogue, hold-up et châtiment

Ces deux délinquants sont sans scrupules : ils aiment l'argent facile, les vêtements chers et à la mode, les scooters rutilants. En dépit de leur âge, ce sont déjà deux professionnels. Ni l'un ni l'autre n'envisagent d'exercer le moindre métier ou de mener une vie normale. Frédéric, qui joue volontiers au caïd, le paiera de sa vie ; Nordine, de sa liberté de se mouvoir. L'accident qui les brise est leur châtiment.

Les ombres de la précarité

Enfin, des silhouettes traversent l'œuvre, les unes généreuses, les autres inquiétantes. Voici Irina, la Yougoslave, qui a fui son pays en guerre. Veuve, avec deux enfants à charge, elle aurait bien des raisons de se replier sur elle-même. Arrivée à Courvilliers, elle s'étonne que les enfants du quartier n'aient pas de square où jouer. Elle sera à l'origine de la création de l'Oasis. Loumia, une amie d'Axelle, récupère des vêtements pour les revendre à bas prix une fois remis en état. Ailleurs, ce sont des vendeurs à la sauvette, « toute une humanité en proie à la précarité qui tent[e] de survivre ».

Solidaire de tous ces déshérités, Didier Daeninckx les évoque avec bienveillance et sympathie. Non par angélisme ou naïveté. Passeurs et logeurs sans scrupules sont des silhouettes aussi réelles que sinistres. C'est qu'il y a toujours des gens pour exploiter la misère et la détresse d'autrui. Mais en définitive, ce dont le lecteur se souvient, c'est que ce sont des déshérités, des déracinés et des émigrés qui ont créé ce paradis qui s'appelle l'« oasis dans la ville ».

Bibliographie et filmographie

Autres textes de Didier Daeninckx

Le Der des ders, Folio, 1985.

Et son adaptation en bande dessinée avec des dessins de Tardi, Casterman, 1997.

- Un poilu traumatisé par la Première Guerre mondiale se reconvertit en détective privé.

Le Chat de Tigali, roman illustré par Juillard, Syros, 1988. Prix polar jeunes.

- L'histoire du chat Amchiche que son maître a ramené d'Algérie et qui va déchaîner la fureur raciste.

La mort n'oublie personne, Denoël et Gallimard Folio, 1989.

- L'histoire tragique d'un jeune résistant condamné pour meurtre après la guerre.

Cannibale, Verdier, 1998.

- Les aventures de deux Kanaks qui fuient le zoo de Vincennes où ils étaient exhibés pour l'Exposition coloniale de 1931.

La Papillonne de toutes les couleurs, Flammarion jeunesse, 1998 Prix Goncourt du livre de jeunesse.

- L'histoire poétique de la papillonne Esmeralda à la découverte du monde.

Varlot soldat (scénario de bande dessinée, dessins de Tardi), L'Association, 1998.

- Le livre reprend et développe l'un des épisodes de *Le Der des ders*.

Sur Didier Daeninckx

Daeninckx par Daeninckx, de Thierry Maricourt, Le Cherche Midi, 2009.

- Dans ce livre, Didier Daeninckx présente de manière très claire et très accessible son parcours et son travail d'écrivain.

Lire Didier Daeninckx, de Gianfranco Rubino, Armand Colin, 2009.

- Une analyse des thèmes et des genres développés dans l'œuvre.

Bibliographie et filmographie

Films

La Haine, de Mathieu Kassovitz, 1995, avec Vincent Cassel.

◗ Une journée de la vie d'une petite bande de jeunes d'une cité de banlieue. Ils ont « pris la haine » à la suite d'une « bavure » policière qui a entraîné la mort de l'un des leurs.

L'Esquive, d'Abdellatif Kechiche, 2004, avec Osman Elkharraz et Sara Forestier.

◗ Fruste enfant de la cité, Krimo n'est pas très porté sur les études et encore moins sur le théâtre de Marivaux. Pourtant, il va devoir s'y mettre, car il est tombé amoureux de la jolie Lydia, dont toute la vie tourne autour de son rôle dans la pièce *Les Jeux de l'amour et du hasard*, que va jouer le groupe de théâtre du collège.

Dans la même collection :

AMADO Jorge	*Cacao*
BÂ Amadou Hampâté	*La Querelle des deux lézards* et autres contes africains
BEGAG Azouz	*Celui qui n'est pas né de la dernière pluie*
BRADBURY Ray	*Un coup de tonnerre* et autres nouvelles
BUZZATI Dino	*Douce Nuit* et autres nouvelles cruelles
BUZZATI Dino	*Le Chien qui a vu Dieu* et autres nouvelles
CARRIÈRE Jean-Claude	*38 Contes philosophiques*
CARRIÈRE Jean-Claude **VIGNE Daniel**	*Le Retour de Martin Guerre*
CHARYN Jerome, CONNELLY Michael **DAENINCKX Didier, HARVEY John** **POUY Jean-Bernard**	*Après minuit* et autres nouvelles policières
CLAVEL Bernard	*Le Carcajou*
CONDÉ Maryse	*La Belle et la Bête* Une version guadeloupéenne
DAENINCKX Didier	*Galadio*
DAENINCKX Didier	*Une oasis dans la ville*
DELERM Philippe	*Quiproquo* et autres nouvelles
DHÔTEL André	*Le Robinson de la rivière* et autres contes
FRANK Anne	*Contes*
GARY Romain	*J'ai soif d'innocence* et autres nouvelles à chute
GENEVOIX Maurice	*Ceux de 14*

HALTER Marek	*Les Justes, ces héros inconnus*
HÉLIAS Pierre-Jakez	*La Mort du bon voleur* et autres contes bretons
KADARÉ Ismail	*Qui a ramené Doruntine ?*
MATAS Carol	*Les Enfants du Chambon*
NÉMIROVSKY Irène	*Monsieur Rose* et autres nouvelles réalistes
PELOT Pierre	*L'Unique Rebelle*
SIMENON Georges	*La Pipe de Maigret*
SINGER Isaac Bashevis	*Yentl*
VERCORS	*Contes des cataplasmes*

Notes

Notes

Notes

Notes

Impression : Rotolito Lombarda (Italie)
Dépôt légal : août 2013 – 309119/02
N° Projet : 11036436 – juin 2017